CW00385914
Alaska
(EE UU)
CANADÁ
Ottawa
ESTADOS
UNIDOS
Washington
I. Bermudas (RU)
REP. DOMINICANA
Santo Domingo
I. BAHAMAS
Nassau
HAITÍ
MÉXICO
La Habana
I. Hawai
(EE UU)
Ciudad de México
BELICE
Belmopan
PUERTO RICO
San Juan
CUBA
JAMAICA
Puerto Príncipe
GUATEMALA
Guatemala
HONDURAS
Tegucigalpa
EL SALVADOR
San Salvador
San José
Caracas
Panamá
NICARAGUA
Managua
COSTA RICA
VENEZUELA
Georgetown
Paramaribo
PANAMÁ
Cayenne
Bogotá
GUAYANA FRANCESA
COLOMBIA
Quito
I. Galápagos
(Ec.)
ECUADOR
GUYANA
SURINAM
BRASIL
PERÚ
Lima
La Paz
Brasilia
BOLIVIA
PARAGUAY
Asunción
CHILE
Santiago
URUGUAY
Montevideo
Buenos Aires
ARGENTINA
Fronteras internacionales
Capital de Estado
I. Malvinas (RU)
I. Georgias
del Sur (RU)

Ortografía esencial

Con el español que se habla hoy en España y en América Latina

PRÁCTICOS

Índice

ABECEDARIO FONÉTICO 4

I. REGLAS DE ACENTUACIÓN

1. El acento, la tilde y la sílaba 8
2. Acentuación de palabras agudas 10
3. Acentuación de palabras llanas 12
4. Acentuación de palabras esdrújulas y sobresdrújulas 14
5. Acentuación de diptongos y triptongos 16
6. Acentuación de hiatos 18
7. Acentuación de monosílabos 20
8. Acentuación de interrogativos y exclamativos 22

Ejercicios 24

II. REGLAS DE LETRAS

9. Las mayúsculas 28
10. Palabras con *h* 30
11. Palabras con *h* y sin *h* 32
12. Palabras con *b* (1) 34
13. Palabras con *b* (y 2) 36
14. Palabras con *v* (1) 38
15. Palabras con *v* (y 2) 40
16. Palabras con *b* y *v* 42
17. Palabras con *g* 44
18. Palabras con *j* 46
19. Palabras con *s* y palabras con *x* 48
20. Palabras con *ll* y palabras con *y* 50

21. Palabras con *c*, *z* y *s* 52

22. Palabras con *c*, *k* y *qu* 54

23. Palabras con *r* y palabras con *rr* 56

Ejercicios 58

III. REGLAS DE PUNTUACIÓN

24. El punto (.) 62

25. La coma (,) 64

26. Los dos puntos (:) y el punto y coma (;) 66

27. Los signos de interrogación (¿?) y de exclamación (¡!) 68

28. Los puntos suspensivos (...), las comillas (« ») y los paréntesis ( ) 70

29. El guión (-) y la raya (—) 72

Ejercicios 74

IV. REGLAS DE PALABRAS

30. *Por qué, porque, porqué* 78

31. *Adónde, adonde, a donde* 80

32. *También, tan bien; tampoco, tan poco* 82

33. Las conjunciones *y/e*, *o/u* 84

Ejercicios 86

SOLUCIONES A LOS EJERCICIOS 89

ABECEDARIO FONÉTICO

letra	nombre de la letra	se pronuncia	ejemplo
A, a	a	/a/	Ana
B, b	be	/b/	beber
C, c + e, i	ce	/θ/	cera, cielo
C, c + a, o, u		/k/	casa, coche, cuna
D, d	de	/d/	dedo
E, e	e	/e/	Ecuador
F, f	efe	/f/	fotografía
G, g + e, i	ge	/x/	gente, gimnasia
G, g + a, o, u		/g/	gato, gorro, gusano
G, g + ue, ui		/g/	guerra, guitarra
G, g + üe, üi		/g/	cigüeña, piragüismo
H, h	hache	—	hotel, ahora
I, i	i	/i/	Irlanda
J, j	jota	/x/	Japón
K, k	ka	/k/	kilo
L, l	ele	/l/	Lima
M, m	eme	/m/	mamá
N, n	ene	/n/	Nicaragua
Ñ, ñ	eñe	/ɲ/	España
O, o	o	/o/	operación
P, p	pe	/p/	Perú

letra	nombre de la letra	se pronuncia	ejemplo
Q, q + ue, ui	cu	/k/	queso, Quito
R, r	erre	/r/, /r̄/	pero, perro
S, s	ese	/s/	semana
T, t	te	/t/	té
U, u	u	/u/	Uruguay
V, v	uve	/b/	Venezuela
W, w	uve doble	/b/	water
X, x	equis	/ks/, /s/, /x/	examen, México
Y, y	i griega	/y/, /i/	yo, Paraguay
Z, z	zeta	/θ/	zapato

Observaciones

- Las letras ***b*** y ***v*** se pronuncian igual: */b/* (*Bogotá, Valencia*).
- La letra ***h*** no se pronuncia en español: ***h**arina, **h**ermano, **h**ierba, **H**olanda, **h**uir.*
- El sonido /r̄/ se escribe con:
  - ***rr*** entre vocales: *Ma**rr**uecos, pe**rr**o.*
  - ***r*** al principio de la palabra: ***R**oma, **r**osa.*
  - ***r*** detrás de ***l, n*** y ***s***: *a**lr**ededor, E**nr**ique, I**sr**ael.*

  En los demás casos, la ***r*** se pronuncia */r/: Perú, pero.*
- La grafía ***ch*** (***ch**arlar*) tiene una pronunciación concreta: /ĉ/, aunque no es una letra independiente.
- La grafía ***ll*** (***ll**ave*) tiene una pronunciación concreta: /l̬/, aunque no es una letra independiente.

REGLAS DE ACENTUACIÓN

Bloque I

1 EL ACENTO, LA TILDE Y LA SÍLABA

¿Qué es el acento?

El acento es la mayor intensidad o fuerza con que se pronuncia una sílaba dentro de la palabra:

mesa ***pizarra*** ***reloj*** ***español***

¿Qué es la tilde?

La tilde es el signo gráfico (´) que se pone a veces sobre la sílaba que se pronuncia con más fuerza:

inglés ***árbol*** ***médico***

- La tilde permite diferenciar palabras con distinto significado según su acento:

  paso/pasó *echo/echó* *lleno/llenó*

- Las normas que nos indican cuándo hay que escribir con tilde son las reglas de acentuación.

¿Qué son las sílabas?

Las sílabas son las divisiones dentro de las palabras. Corresponden a los golpes de voz que hacemos al hablar. En castellano, las sílabas deben llevar, al menos, una vocal:

co-mer *Ma-rí-a* *ca-be-za* *sol*

En todas las palabras hay una sílaba que se pronuncia con mayor intensidad: la **sílaba tónica**. En la lengua escrita puede ir con tilde (´) o no, según las reglas de acentuación:

*co-**mer*** *Ma-**rí**-a* *ca-**be**-za* ***sol***

1. **Separe estas palabras en sílabas:**

- jugar
- luna
- elefante
- comida
- eclipse
- extranjero
- pintor
- banco
- ventana
- teléfono
- rojo
- español

❑ **Clasifíquelas en el siguiente cuadro:**

dos sílabas →	....
tres sílabas →	....
cuatro sílabas →	....

2. **Escriba tres palabras en cada columna:**

una sílaba	dos sílabas	tres sílabas	cuatro sílabas
....	....	....	....
....	....	....	....
....	....	....	....

3. **Separe las sílabas de todas las palabras del texto:**

Este año iré de vacaciones a México. México es un país muy extenso bañado por el océano Pacífico y el Atlántico. La capital es México Distrito Federal. Pasaré un mes allí y lo recorreré de norte a sur. ¿Tú qué harás durante las vacaciones?

❑ **Rodee la sílaba tónica en las palabras de dos o más sílabas.**

2 ACENTUACIÓN DE PALABRAS AGUDAS

¿Qué son las palabras agudas?

Las palabras agudas son aquellas en las que la sílaba tónica es la última (□□■):

*sa - **ber*** *li - ber - **tad*** *can - **tar*** *ca - **fé***

¿Cuándo llevan tilde las palabras agudas?

Las palabras agudas llevan tilde cuando acaban en vocal, en *-n* o en *-s*:

Terminadas en vocal → *acá, soñé*

Terminadas en *-n* → *jamón, melón*

Terminadas en *-s* → *francés, Andrés*

ATENCIÓN

Los monosílabos, por lo general, no llevan tilde (ver unidad 7): *pan, sol, luz, es*.

FÍJESE

Estas palabras agudas siempre llevan tilde:		Estas palabras agudas nunca llevan tilde:	
• *pensó*	• *está* (de *estar*)	• *señor*	• *mujer*
• *cinturón*	• *salmón*	• *feliz*	• *vivir*
• *volverás*	• *francés*	• *estar*	• *reloj*

1. Rodee con un círculo la sílaba tónica en cada caso y señale las palabras agudas:

- Simón
- pájaro
- soñar
- mesa
- Bogotá
- jóvenes
- sartén
- Tomás
- lápiz

2. Clasifique estas palabras agudas en el cuadro y explique por qué llevan tilde o no:

- Perú
- jamón
- además
- sentí
- comed
- celular
- estar
- reloj

Terminan en vocal	
Terminan en *-n*	
Terminan en *-s*	
Terminan en consonante distinta de *-n* y *-s*	

3. Ponga tilde en los casos en los que sea necesario:

- salis
- calor
- abril
- cafes
- mirar
- balon
- comi
- sillon

4. Complete el texto conjugando los verbos entre paréntesis en pretérito indefinido:

Cuando Andrés .... (*levantarse*) aquella mañana y .... (*mirar*) por la ventana, vio lo que nunca .... (*imaginar*). Al principio .... (*asustarse*). Pero luego se dio cuenta de lo que era y entonces .... (*llamar*) a su mujer y a sus hijos, que llegaron corriendo hasta el salón, donde se encontraba él. «¿Qué te pasa?», le .... (*preguntar*) su mujer. «¡Que ayer hacía mucho calor y hoy está nevando!», ... (*responder*) él.

❑ **Señale todas las palabras agudas que encuentre en el texto.**

3 ACENTUACIÓN DE PALABRAS LLANAS

¿Qué son las palabras llanas?

Las palabras llanas son aquellas en las que la sílaba tónica es la penúltima (□■□):

va-so *li-bro* *lá-piz*

re-su-men *Héc-tor* *fút-bol*

¿Cuándo llevan tilde las palabras llanas?

Las palabras llanas llevan tilde cuando acaban en consonante distinta de *-n* o *-s*:

árbol *azúcar* *Túnez*

Por lo tanto, no llevan tilde en los demás casos:

Terminadas en vocal → *pileta, saco*

Terminadas en *-n* → *lavan, orden*

Terminadas en *-s* → *martes, cosas*

ATENCIÓN

Las palabras llanas acabadas en *-x* y en *-ps* llevan tilde aunque sea la **s** la última consonante que se pronuncia: *tóra**x***, *bíce**ps***.

FÍJESE

Estas palabras llanas siempre llevan tilde:

- *fácil*
- *difícil*
- *útil*
- *álbum*
- *Sánchez*
- *carácter*

Estas palabras llanas nunca llevan tilde:

- *examen*
- *joven*
- *tijeras*
- *pantalones*
- *cuchara*
- *mesa*

1. **Elija en estas frases diez palabras llanas:**

- Félix tiene mucho carácter.
- Ayer celebré mi santo tomando chocolate con Óscar y Ana.
- Con este lápiz es muy fácil dibujar, no pesa nada.
- A mi vecino le pusieron una multa porque se saltó un semáforo en ámbar.
- El señor González se ha comprado un automóvil.

❑ **Clasifíquelas en el siguiente cuadro y explique por qué llevan o no llevan tilde:**

con tilde	....
sin tilde	....

2. **Ponga tilde en las palabras que la necesiten:**

- desayuno
- patata
- volumen
- Hector
- Holanda
- abrigo
- plata
- triceps
- mexicano
- Perez
- plata
- gafas

3. **Lea el siguiente texto y ponga las tildes que faltan:**

Los martes suelo cuidar mi pequeño jardín. Corto el cesped. Riego el viejo arbol. Corto las ramas que están rotas. Arreglo plantas y flores. Converso un rato con los pájaros. Les digo que soy Victor Martinez. Recojo algún trebol de la suerte. Entonces, sin saber muy bien por qué, siempre me pongo alegre. Luego, estornudo y recuerdo que soy alérgico al polen. Aún así, me encanta la primavera.

4 ACENTUACIÓN DE PALABRAS ESDRÚJULAS Y SOBRESDRÚJULAS

¿Qué son las palabras esdrújulas y sobresdrújulas?

Las palabras esdrújulas son aquellas en las que la sílaba que se pronuncia más fuerte es la antepenúltima (■□□):

***mé**-di-co* *es-**drú**-ju-la* *te-**lé**-fo-no*

Cuando la sílaba que se pronuncia más fuerte es anterior a la antepenúltima, entonces se trata de una palabra sobresdrújula (■□□□):

***mán**-da-me-lo* ***có**-me-te-lo*

*a-**cér**-ca-me-las* ***bús**-ca-se-los*

¿Cuándo llevan tilde las palabras esdrújulas y sobresdrújulas?

Las palabras esdrújulas y sobresdrújulas llevan tilde siempre:

***sá**-ba-do* ***rá**-pi-dos* ***dé**-ja-me-lo*

ATENCIÓN

Algunas palabras llanas en singular son esdrújulas en plural y, por tanto, llevan tilde en plural —pero no en singular—:

examen → *exámenes*

joven → *jóvenes*

FÍJESE

Estas palabras son esdrújulas y, por tanto, siempre llevan tilde:

- *teléfono*
- *buenísimo*
- *indígena*
- *subterráneo*
- *Álvaro*
- *público*

Estas palabras no son esdrújulas y nunca llevan tilde:

- *caracteres*
- *persona*
- *ojalá*
- *concreto*

1 **Escriba una frase con cada palabra. Observe que el significado es diferente según cuál sea la sílaba tónica:**

- celebré ....
- celebre ....
- célebre ....
- practicó ....
- practico ....
- práctico ....

2 **Complete este cuadro. No olvide poner las tildes necesarias:**

singular	plural
examen	....
....	jóvenes
ángel	....
....	lápices

3 **Ponga las tildes que faltan en estas palabras:**

- caracteres
- ultimo
- clasico
- ecologico
- humedo
- damelo
- domestico
- pelicula
- comodo
- Malaga
- simpatico
- septimo

4 **Lea el texto y ponga la tilde cuando sea necesario:**

Me llamo Alvaro y soy un hombre feliz. Soy arbitro de fútbol. ¿No les parece fantastico? Durante la semana trabajo como profesor de matematicas y de musica clasica en un colegio. Cuando llega el sabado me levanto nerviosisimo. Desayuno y me visto rapidamente. ¡Hacia el campo!

5 ACENTUACIÓN DE DIPTONGOS Y TRIPTONGOS

¿Qué es un diptongo?

Un diptongo es la unión de dos vocales pronunciadas en la misma sílaba:

cie-lo   *ai-re*   *au-to*   *Eu-ro-pa*   *can-ción*

Los diptongos pueden estar formados por:

- Vocal abierta (*a*, *e*, *o*) + vocal cerrada (*i*, *u*): *Pau-la, pei-ne, sois.*
- Vocal cerrada (*i*, *u*) + vocal abierta (*a*, *e*, *o*): *puer-ta, pie, via-je.*
- Vocal cerrada (*i*, *u*) + vocal cerrada (*i*, *u*): *rui-do, viu-da, cui-da.*

¿Qué es un triptongo?

Un triptongo es la unión de tres vocales pronunciadas en la misma sílaba. La vocal central es siempre abierta ***a***, ***e***, ***o*** y las otras dos cerradas ***i***, ***u***:

*pro-nun-**ciéis***   *en-su-**ciéis***   *lim-**piáis***

¿Cuándo llevan tilde los diptongos y los triptongos?

Los diptongos y los triptongos siguen las reglas generales de acentuación:

agudas ⟶ *ca-**mión**, Ma-**nuel***
llanas ⟶ ***hués**-ped, **rui**-do*
esdrújulas ⟶ *a-**cuá**-ti-co, far-ma-**céu**-ti-co*

ATENCIÓN

- En los diptongos formados por vocal abierta + vocal cerrada, cuando llevan tilde, la tilde va en la vocal abierta: *a-**diós**, mur-**cié**-la-go.*
- En los diptongos formados por vocal cerrada + vocal cerrada, cuando llevan tilde, la tilde va en la segunda vocal: *vein-**tiún***.
- Cuando los triptongos llevan tilde, esta se coloca en la vocal abierta: *es-tu-**diáis***, *a-ve-ri-**guáis***.

1. Separe en sílabas estas palabras y marque con un círculo los diptongos y con un cuadrado los triptongos:

- abuela
- treinta
- fui
- cuerpo
- volvisteis
- puente
- columpio
- anunciáis
- cuídate

2. Separe estas palabras en sílabas y clasifíquelas en agudas, llanas o esdrújulas. Ponga tilde en las que la necesiten:

- decision
- suerte
- cuidalo
- caminais
- fuego
- aire
- estacion
- rueda
- eleccion

3. Complete el crucigrama con palabras que tengan un diptongo. Rodee las vocales que forman el diptongo:

1. Lugar donde vive mucha gente.	1. C _ _ D _ _
2. Pasado del verbo *ver* (3.ª p. sing.)	2. _ I _
3. Los usas para andar.	3. P _ _ _
4. Lugar donde se juega al fútbol.	4. E _ T _ _ _ _
5. Mes anterior a agosto.	5. J _ _ _ _
6. Lo contrario del mal.	6. _ _ _ N
7. Día presente.	7. H _ _

4. Lea el siguiente texto y ponga tildes cuando sea necesario:

Juan llego a Buenos Aires ayer. Al levantarse, vio que era una mañana soleada, sin nubes. Se sintio bien. Compro el periodico y busco la seccion de espectaculos porque decidio ir a un lugar donde escuchar tango. Despues de un rato, encontro un boliche que le gusto. Muy contento, se vistio y se dirigio hacia alli.

6 ACENTUACIÓN DE HIATOS

¿Qué son los hiatos?

Un hiato es la unión de dos vocales que se pronuncian en sílabas diferentes:

***rí**-o* ***dú**-o* *co-**rrí**-a*

Los hiatos pueden estar formados por:

- Dos vocales abiertas (***a**, **e**, **o***) → *ca-**no**-a, **hé**-ro-e.*
- Una vocal abierta (***a**, **e**, **o***) + una cerrada (***i**, **u***) → *Ra-**úl**, co-**mí**-a.*

¿Cuándo llevan tilde los hiatos?

- Los hiatos llevan tilde según las reglas generales de acentuación:

  Agudas → *le-**ón**, gui-**ón***

  Llanas → *po-**e**-ta, pi-**a**-no*

  Esdrújulas → ***á**-re-a, o-ce-**á**-ni-co*

- Los hiatos formados por una vocal abierta + vocal cerrada, siempre llevan tilde, y se coloca sobre la vocal cerrada, aunque no lo pidan las reglas generales de acentuación:

  *o-**ír*** *Ma-**rí**-a* ***mí**-o*

ATENCIÓN

La *h* intercalada no impide el hiato: *bú-ho*, *a-hí.*

FÍJESE

Estas palabras con hiato siempre llevan tilde:

- *había*
- *frío*
- *día*
- *tía*

Estas palabras con hiato nunca llevan tilde:

- *paella*
- *caos*
- *oasis*
- *recreo*

1. **Rodee con un círculo los diptongos y subraye los hiatos:**

- aire
- ruido
- país
- caimán
- miedo
- después
- Rocío
- cohete
- teatro
- piedra
- comía
- canoa

2. **Explique por qué estas palabras llevan tilde:**

- maíz ....
- área ....
- dieciséis ....
- aéreo ....
- prohíbo ....
- escribía ....
- río ....
- oír ....

3. **Ponga tilde a las siguientes palabras cuando corresponda:**

- crio
- leer
- dia
- oia
- reir
- mia
- toalla
- baul
- hiato
- venia
- tia
- caen
- paises
- ahi
- caos

4. **Lea el siguiente texto, señale con un círculo los diptongos y subraye los hiatos:**

Hoy ha llegado a clase un estudiante coreano, se llama Soki. Cuando le hemos preguntado cuántos años tenia nos hemos quedado sorprendidos porque ha dicho que en su pais tiene veinte, pero que aquí tiene diecinueve. Despues, nos lo ha explicado: lo que sucede es que allí los bebés, cuando nacen, ya tienen un año.

❑ **Vuelva a leer el texto y ponga las tildes necesarias.**

7 ACENTUACIÓN DE MONOSÍLABOS

¿Qué son los monosílabos?

Los monosílabos son palabras que tienen una sola sílaba:

el ***mi*** ***él*** ***tu***

¿Cuándo llevan tilde los monosílabos?

Por regla general, los monosílabos no llevan tilde:

sol ***fue*** ***pan*** ***bien***

Sin embargo, algunos monosílabos llevan tilde para diferenciarse de otro monosílabo que se escribe igual, pero que tiene un significado diferente. Estos son algunos de los ejemplos más frecuentes:

- **mi** (adjetivo posesivo) ⟶ ***Mi*** *casa está pintada de blanco.*
  mí (pronombre posesivo) ⟶ *A* ***mí*** *me gusta mucho La Habana.*
- **el** (artículo) ⟶ ***El*** *coche está estropeado.*
  él (pronombre) ⟶ ***Él*** *está sentado a mi lado.*
- **de** (preposición) ⟶ *Me encanta el abrigo* ***de*** *María.*
  dé (verbo dar) ⟶ *Dile a Rosa que le* ***dé*** *su remera.*
- **se** (pronombre) ⟶ ***Se*** *acostó muy temprano.*
  sé (verbo saber) ⟶ *No* ***sé*** *dónde están las llaves.*
- **si** (condición) ⟶ ***Si*** *vienes pronto, vamos al cine.*
  sí (afirmación) ⟶ ***Sí****, soy mexicano.*

ATENCIÓN

El monosílabo ***ti*** nunca lleva tilde.

FÍJESE

Estas palabras con diptongo nunca llevan tilde:

- *dio*
- *vio*
- *fue*
- *pie*
- *Dios*

1. Rodee con un círculo los monosílabos de las siguientes frases:

a) Hoy hace mucho sol; vamos a dar un paseo.

b) Echa un poco de sal en la sopa.

c) Pedro fue al supermercado y compró pan y fruta.

d) Soy yo quien tiene la culpa; lo siento mucho.

2. Complete los espacios con monosílabos:

a) .... no tiene razón, pero .... tampoco.

b) Desde que .... a Inglaterra, ... gusta mucho el .... con leche.

c) .... novio .... Ana es muy alto.

3. Elija en cada caso el monosílabo adecuado:

a) En (*mi/mí*) casa, cuando necesitan que alguien repare algo, siempre me llaman a (*mi/mí*).

b) Ya (*se/sé*) que ni (*tu/tú*) ni (*el/él*) haríais algo así.

c) ¿(*Te/Té*) acuerdas de Carmen? (*Se/Sé*) ha ido a vivir a Guatemala con una beca de investigación.

4. Lea el siguiente texto, rodee los monosílabos y ponga las tildes que faltan:

Mi abuelo era de un pueblecito del norte de Leon. Cuando todavia era muy joven, decidio ir a America para hacer fortuna. Fue hasta Venezuela y se instalo en Caracas. Pronto encontro un buen trabajo. Poco despues, vio por primera vez a mi abuela y se casaron enseguida. Tuvieron seis hijos. Mi madre era la pequeña. Se considera venezolana. Yo tambien naci en este pais y nunca he estado en España. Pero mi abuelo siempre me hablo de su tierra natal. El decia que era un pais precioso. A mi me apetece mucho visitar la tierra de mis antepasados. Si consigo ahorrar este año, ire a Leon el proximo verano.

8 ACENTUACIÓN DE INTERROGATIVOS Y EXCLAMATIVOS

¿Qué son los interrogativos y exclamativos?

Los interrogativos y los exclamativos son palabras que se utilizan para introducir preguntas y exclamaciones:

¿Qué? *¿Quién?* *¡Cómo!* *¡Cuántos!*

¿Cuándo llevan tilde los interrogativos y exclamativos?

Todos los interrogativos y exclamativos llevan tilde para diferenciarse de otras palabras que se escriben igual pero que no tienen el mismo significado:

- **¿qué? ¡qué!** → *¿**Qué** haces? ¡**Qué** bien!*

  que → *Sabes **que** te quiero mucho.*

- **¿quién? ¡quién!** → *¿**Quién** te lo ha dicho? ¡**Quién** lo sabe!*

  quien → ***Quien** lo sepa, que lo diga.*

- **¿cuánto? ¡cuánto!** → *¿**Cuánto** te ha costado? ¡**Cuánta** gente!*

  cuanto → *Come **cuanto** quieras.*

- **¿dónde? ¡dónde!** → *¿**Dónde** está el pan?*
  *¡**Dónde** hemos llegado!*

  donde → ***Donde** vamos de vacaciones hace frío.*

- **¿cómo? ¡cómo!** → *¿**Cómo** estás? ¡**Cómo** has cambiado!*

  como → *Tu hermana es **como** tú.*

ATENCIÓN

A veces, los interrogativos y exclamativos no aparecen entre signos de interrogación o exclamación, pero siguen llevando tilde. Se trata de **preguntas indirectas**. Este tipo de frases realizan la pregunta a través de un verbo (*decir, saber...*):

*No sabes **cuánto** me gusta viajar por América Latina.*
*Dime **dónde** está la parada de autobús.*

1. **Elija la forma correcta en cada caso:**

a) ¿[*Cuándo/Cuando*] fue la última vez que estuvimos en el cine?

b) ¡[*Cuánto/Cuanto*] te echo de menos!

c) Este verano iremos, [*cómo/como*] todos los veranos, a Ecuador.

d) ¿[*Quién/Quién* sabe [*cómo/como*] se cose un botón?

e) [*Cuando/Cuándo* acabes este libro, ¿[*qué/que*] vas a leer?

f) El hotel está cerca de [*donde/dónde*] se encuentra el estadio.

2. **Escriba las preguntas que corresponden a estas respuestas utilizando interrogativos:**

a) .... ⟶ Hemos ido al teatro.

b) .... ⟶ Mi hijo tiene doce meses.

c) .... ⟶ Mi novia se llama Patricia.

d) .... ⟶ Jesús y Paloma vuelven mañana.

e) .... ⟶ Alfonso es de Paraguay.

3. **Forme oraciones uniendo las dos columnas:**

¡Qué	está ahí?
¿Quién	está Guadalajara?
¿Cuánto	calor hace!
¿Dónde	cuesta el billete de avión?

4. **Lea el siguiente texto y ponga la tilde a las palabras que lo necesiten:**

¿Cuanto tiempo cuesta aprender un idioma? Es una pregunta difícil de responder. Todo depende de cuanto tiempo y esfuerzo se dedique. En cuanto a donde es mejor aprenderlo, también depende del tiempo y del dinero de que se disponga. Donde más te apetezca, cuando prefieras. Lo importante es querer hacerlo. ¡Que tengas mucho éxito!

Ejercicios de las reglas de acentuación

1. **Clasifique estas palabras según su sílaba tónica (agudas, llanas, esdrújulas o sobresdrújulas):**

- Santander
- Canarias
- bolígrafo
- bailarín
- difícil
- canté
- estuve
- señor
- cantábamos
- hoy
- música
- préstamelo
- profesor
- salmón
- vimos

2. **Ponga tilde en las palabras que corresponda:**

- Alvaro
- Sanchez
- cortisimo
- penso
- boton
- telefono
- feliz
- movil
- sofa
- silaba
- presentanoslo
- arbol

3. **Ponga tilde en las palabras que la necesiten en estas frases:**

a) Las ultimas lluvias han causado grandes perdidas humanas y economicas.
b) La lampara de mi habitacion no da suficiente luz.
c) El sonido de la musica no me deja dormir los domingos por la mañana.
d) Aprender a cocinar es facil, solo hay que esforzarse un poco.
e) El cesped del jardin esta demasiado largo y habra que cortarlo.

4. **Ponga tilde donde sea necesario y diga si se trata de diptongos, triptongos o hiatos. Justifique su elección en cada caso:**

- suave
- huesped
- aéreo
- niebla
- leiamos
- egoista
- frio
- precioso
- ruido
- cuidate
- visitais
- baúl
- reir
- ideas
- triangulo
- camion
- acuatico
- averiguais
- murcielago
- paella
- piano
- dia
- oeste

5 **Complete las siguientes frases con el monosílabo correcto:**

a) No [*se/sé*] si debo beber [*te/té*] con este dolor de estómago.

b) Pregúntale a [*tu/tú*] amigo [*si/sí*] quiere venir con nosotros.

c) A [*mi/mí*] me resulta extraño beber mate.

d) [*El/Él*] no sabe que le haremos un regalo.

e) Los alumnos [*de/dé*] segundo estudian mucho.

f) No [*se/sé*] hablar japonés, pero [*tu/tú*] primo [*si/sí*].

6 **Elija la forma correcta en cada caso:**

a) ¿[*Donde/Dónde*] quieres que cenemos?

b) Lo hicieron todo [*como/cómo*] se lo indicaste.

c) ¡[*Cuantas/Cuántas*] cosas hay que aprender todavía!

d) ¿[*Que/Qué*] significa el verbo «extrañar» en español?

e) Los niños olvidaron [*que/qué*] tenían que regresar a casa.

7 **Lea atentamente este texto y coloque las tildes que faltan:**

A Lola siempre le habia gustado charlar con sus amigos y salir por ahi. Era una chica simpatica, agradable y risueña, con muy buen caracter. Lo malo empezo cuando ingreso en la universidad. Decidio estudiar ingenieria porque le apasionaban la tecnica y las matematicas. ¡Que sorpresa cuando se dio cuenta de que tenia que estudiar seis horas diarias! Al principio, penso que podria seguir llevando una vida como la de antes, pero pronto vio que las cosas no eran tan faciles. Tuvo que encerrarse en su casa, sobre todo en los meses de examenes. No se arrepintio de haber escogido esa carrera, pero echaba de menos su antigua vida.

REGLAS DE LETRAS

Bloque II

9 LAS MAYÚSCULAS

¿Qué palabras se escriben con letra inicial mayúscula?

- La primera palabra de un texto.
- La primera palabra que va después de un punto.
- La primera palabra que va después de los dos puntos del encabezamiento de una carta.
- Los nombres propios y apellidos de persona: *Pedro Almodóvar, Carlos Fuentes.*
- Los nombres de ciudades, países y continentes, pero no los nombres de las personas que proceden de esos lugares: *Colombia*, pero *colombiano.*
- Los nombres de montañas, ríos y mares: *Andes, Ebro, Atlántico.*
- Los puntos cardinales se escriben con minúscula, pero sus abreviaturas se escriben con mayúsculas: *norte (N), sur (S).*

ATENCIÓN

- Los días de la semana, los meses y las estaciones siempre se escriben con minúscula: ***m**artes, **j**unio, **v**erano.*
- Las mayúsculas se acentúan según las reglas generales de acentuación: ***Á**frica, **Á**ngel.*

FÍJESE

Estas palabras siempre llevan letra inicial mayúscula:		Estas palabras nunca llevan letra inicial mayúscula:	
• *Bolivia*	• *Amazonas*	• *francés*	• *sur*
• *Madrid*	• *Pacífico*	• *norte*	• *miércoles*
• *Rodríguez*	• *Ramiro*	• *verano*	• *agosto*

1 **Clasifique estos sustantivos y añada dos palabras más a cada grupo:**

- Daniel
- Sierra Morena
- Asunción
- Italia
- América
- Menéndez

nombres y apellidos de persona	
ríos, mares y montañas	
ciudades, países y continentes	

2 **Ponga las mayúsculas correspondientes en las siguientes frases:**

a) estaremos en los alpes de lunes a viernes.
b) los habitantes de portugal se llaman portugueses.
c) cruzar el índico a nado es imposible.

3 **Escriba en español los nombres de las cuatro estaciones y de los doce meses del año:**

....

....

4 **Lea la siguiente carta y ponga las mayúsculas donde corresponda:**

querido antonio:
me alegro de que vinieras el viernes pasado. así pudiste conocer a todos mis amigos chilenos. mis amigos son gente encantadora y creo que sería muy bueno seguir en contacto con ellos si vas a ir a vivir a los andes. ¿cuándo piensas marcharte? me va a dar mucha pena que te vayas, pero prometo ir a verte tan pronto como tenga vacaciones.
hasta pronto, un beso muy fuerte,
maría

10 PALABRAS CON *H*

La letra *h*

En español, la letra *h* es **muda**, no se pronuncia:

hora = /ora/ *hotel = /otel/*

La *h* puede estar al principio, en medio o al final de la palabra:

hueso ***búho*** ***¡eh!***

Algunas reglas de la letra *h*

- Se escriben con *h* inicial las palabras que empiezan por ***hie-***, ***hue-***, ***hui***:

  hierro ***huevo*** ***huida***

- Se escriben con *h* inicial todas las formas de los verbos ***haber***, ***hacer***, ***hallar***, ***hablar*** y ***habitar***:

  hay ***hago*** ***halláis*** ***hablan*** ***habites***

- Se escriben con *h* inicial las palabras derivadas de ***hierba***, ***horror***, ***hijo***, ***hondo***, ***hermano***:

  herbívoro ***horroroso*** ***ahijado*** ***hondura*** ***hermanastro***

FÍJESE

Estas palabras siempre se escriben con ***h***, aunque no siguen ninguna regla:

- *ahí*
- *hambre*
- *hasta*
- *hoy*
- *ahora*
- *hacia*

Estas palabras nunca se escriben con ***h***:

- *allí*
- *andar*
- *echar*
- *toalla*
- *era*
- *iba*

1 **Complete el cuadro con las siguientes formas verbales:**

- hicieron
- hallaré
- hablarán
- hay
- habría
- hablarían
- hagamos
- hallaste

haber	hacer	hallar	hablar

❑ **Añada una forma más en cada columna.**

2 **Busque en la sopa de letras cinco nombres de animales que se escriban con *h*. Busque también uno cuyo nombre se escriba sin *h*:**

H	T	I	G	U	A	N	A
I	B	I	O	A	M	A	A
P	U	W	L	H	A	L	G
O	H	A	L	C	O	N	I
P	O	M	I	A	J	O	M
O	K	J	O	H	Ñ	H	R
T	T	E	R	I	A	T	O
A	U	B	T	E	I	A	H
M	Y	X	C	N	E	G	K
O	L	I	P	A	I	T	O

Con *h*

....

....

....

....

....

Sin *h*

....

3 **Complete el texto con las palabras del recuadro:**

hierba	hermoso	hormiga	haya	hojas	hombre	hora

El .... estaba tumbado sobre la .... mirando hacia el cielo y de vez en cuando una .... se le subía en la mano y le hacía cosquillas. Todo era muy .... y las .... del .... bajo el que descansaba se movían dulcemente. Allí estuvo hasta que llegó la .... de volver a casa.

11 PALABRAS CON *H* Y SIN *H*

En español hay algunas palabras que, aunque se pronuncien igual, se escriben de forma diferente (y tienen significados distintos). Unas se escriben con *h* y otras sin *h*:

Hola (saludo) = */ola/* *ola* (del mar)= */ola/*

Estos son algunos ejemplos:

- **Hecho** (de *hacer*) / **echo** (de *echar*):

  ¿Cómo has ***hecho*** *estos frijoles?*

  ¿Le ***echo*** *más sal al guacamole?*

- **Habría** (de *haber*) / **abría** (de *abrir*):

  Te ***habría*** *avisado si lo hubiese sabido.*

  La puerta estaba atrancada y no ***abría.***

- **Hasta** (preposición) / **asta** (cuerno):

  Hasta *pronto.*

  Al toro le faltaba un ***asta.***

ATENCIÓN

Todas las formas del verbo *hacer* y *deshacer* se escriben con *h* (***h****icimos*, *des****h****arán*...) y todas las formas del verbo *echar* y *desechar* se escriben sin *h* (*echa*, *desechados*...).

FÍJESE

Estas palabras nunca se escriben con ***h***:

- *alas*
- *olor*
- *desechan*
- *echamos*

1 Escriba una oración con cada una de estas palabras:

a) ha (del verbo *haber*) ....

b) a (preposición) ....

c) ¡ah! (exclamación) ....

d) hay (del verbo *haber*) ....

e) ay (exclamación) ....

f) ahí (adverbio de lugar) ....

2 Complete estas frases con la palabra adecuada:

a) Como llovía, no fuimos (*hasta/asta*) la playa.

b) Te (*hecho/echo*) mucho de menos.

c) ¡(*Hola/Ola*), Carlos! ¿Cómo estás?

d) Quizá (*habría/abría*) sido mejor cenar en casa.

3 Complete las frases utilizando palabras del cuadro:

echo/hecho	desecho/deshecho	asta/hasta

a) ¿Han .... ya las maletas? Tenemos que salir ya.

b) Siempre .... los papeles inservibles para que no molesten.

c) ¡........ mañana! ¡Qué descansen!

d) Esta noche ni siquiera he .... la cama.

4 Elija en cada caso la palabra adecuada:

María, que se había levantado temprano, estaba (*desecha/deshecha*) de tanto trabajar en la pescadería. Así que se echó en la playa un ratito a tomar el sol (*asta/hasta*) que se quedó dormida. Y entonces comenzó a soñar que una (*ola/hola*) enorme la llevaba (*a/ha/ah*) algún país lejano donde nadie tenía que trabajar.

12 PALABRAS CON *B* (1)

Algunas reglas de la *b*

- Se escriben con *b* las formas verbales de ***deber***, ***haber***, ***saber*** y ***caber***:

  *de**b**es* *sa**b**ía* *ha**b**íamos* *ca**b**rán*

- Se escriben con *b* las formas verbales que terminan en ***-aba***, ***-abas***, ***-ábamos***, ***-abais***, ***-aban*** (pretérito imperfecto de indicativo) y las formas del mismo tiempo del verbo ***ir***:

  *am**aban*** *salt**aba*** *cocin**abais*** ***íbamos***

- Se escriben con *b* todas las palabras que empiezan por ***bu-***, ***bur-*** y ***bus-***:

  ***bu**fanda* ***bur**buja* ***bus**car*

- Se escriben con *b* todas las palabras que empiezan por ***ab-***, ***ob-*** y ***sub-***:

  ***ab**sorber* ***ob**tener* ***sub**terráneo*

ATENCIÓN

Siempre se escribe *b* delante de *l* o *r*: ***bl**anco*, *po**br**e*.

FÍJESE

Estas palabras siempre se escriben con ***b***:	Estas palabras nunca se escriben con ***b***:
• *bastante* • *abajo*	• *joven* • *todavía*
• *arriba* • *autobús*	• *viejo* • *móvil*

1. **Escriba dos formas de cada uno de estos verbos (todas ellas deben escribirse con *b*):**

a) deber ....

b) caber ....

c) saber ....

d) haber ....

2. **Complete estas frases con el tiempo verbal que corresponda:**

a) El año pasado (*ir*, *yo*) .... todos los días a nadar.

b) Cuando Juan me pidió ayuda, yo (*estar*) .... dispuesta a ayudarle.

c) ¿Cómo (*saber*, *tú*) ....que tengo tres hermanos?

d) Quizá (*deber*, *nosotros*) ....regresar a casa porque ha empezado a llover.

3. **Complete el texto con las palabras que aparecen en el recuadro:**

autobús	**Blas**	**pueblo**	**blancas**	**observar**
brisa	**amable**	**bienvenido**	**debajo**	**subterráneo**

El verano pasado fui en .... al pueblo de mi abuelo .... El .... se llama Membrillo de Arriba y está formado por ....casas desde las que se puede .... la sierra, de la que viene una suave .... Toda la gente es muy .... y fui enseguida .... Además, por .... de la calle principal dicen que hay un río ....

13 PALABRAS CON *B* (y 2)

Otras reglas de la *b*

- Se escriben con *b* las formas verbales de los verbos que terminan en ***-bir***, excepto ***servir***, ***vivir*** y ***hervir***:

  recibir ***subir*** ***escribir*** ***describir***

- Se escriben con *b* las formas verbales que terminan en ***-buir***:

  contribuir ***distribuir***

- Se escriben con *b* todas las palabras que terminan en ***-bilidad***, excepto ***movilidad***:

  posibilidad ***habilidad*** ***amabilidad***

- Se escriben con *b* todas las palabras que acaban en ***-bundo*** y ***-bunda***:

  vagabundo ***moribundo*** ***meditabunda***

ATENCIÓN

Después de *m* se escribe siempre *b*: *ta**mb**ién, á**mb**ar*.

FÍJESE

Estas palabras siempre se escriben con ***b***, pero no siguen ninguna regla:	Estas palabras nunca se escriben con ***b***:
• *bueno* • *bonito*	• *servía* • *a veces*
• *barato* • *besar*	• *hierve* • *visión*
• *barro* • *bosque*	• *vivimos* • *veré*

1. **Complete las tablas con las palabras del cuadro que sean de la misma familia:**

vivienda	recibo	servicio
prohibido	escriba	subida

-vir	*-bir*	
vivir:	escribir:	prohibir:
servir:	recibir:	subir:

❑ **Añada una palabra más a cada familia.**

2. **Forme palabras acabadas en *-bilidad* y escriba una oración con cada una de ellas:**

- amable ....
- imposible ....
- responsable ....
- contable ....
- débil ....
- flexible ....

3. **Escriba un texto en el que aparezcan las siguientes palabras:**

bonito	banco	meditabundo
barato	distribuir	también

....

....

....

....

14 PALABRAS CON *V* (1)

Algunas reglas de la *v*

- Se escriben con *v* los verbos que acaban en ***-servar*** y ***-versar***:

  conservar ***conversar***

- Se escriben con *v* las palabras que empiezan por ***adv-*** y ***subv-***:

  ***adv**ersario* ***adv**erbio* ***subv**encionar*

- Se escriben con *v* todas las palabras que empiezan por ***vice-*** y ***viz***:

  ***vice**presidente* ***viz**conde*

- Se escriben con *v* todas las palabras que empiezan por ***villa-***, excepto ***billar***:

  villa ***villa**ncico*

ATENCIÓN

Después de *n*, se escribe siempre *v*: *i**nv**ierno*, *e**nv**ejecer*, *e**nv**idia*.

FÍJESE

Estas palabras siempre se escriben con ***v***, pero no siguen ninguna regla:

- *lavar*
- *cueva*
- *divertido*
- *ventana*
- *llevar*
- *verde*

Estas palabras nunca se escriben con ***v***:

- *boca*
- *barrio*
- *bicicleta*
- *bocadillo*
- *ballena*
- *balcón*

1. **Escriba una oración con cada palabra:**

- subvención ....
- advertir ....

❑ **Escriba una palabra de la misma familia que las anteriores.**

2. **Forme palabras que empiecen por *vice-*:**

- secretario........................
- presidente ....
- ministro........................
- rector ....

3. **Complete estas frases con palabras que tengan la letra *v*:**

a) En Navidades, todos cantamos ....

b) La hierba en primavera está muy ....

c) Ana Belén ....un vestido rojo y unos zapatos negros.

d) Tengo que .... estos pantalones: están muy sucios.

4. **Complete el texto con las palabras definidas en los paréntesis:**

Cuando .... (presente del verbo *venir* en primera persona del singular) a España en .... (estación del año entre diciembre y marzo) me encanta .... (mirar con atención) los árboles cubiertos de nieve y también .... (hablar, mantener una conversación) con mis amigos mientras tomamos alguna bebida caliente en algún lugar confortable. Por supuesto que también la .... (estación del año entre marzo y junio) o el .... (estación del año entre junio y septiembre) me parecen bellos, pero me encanta cuando mis amigos españoles me invitan a pasar aquí la .... (celebración cristiana del nacimiento de Jesús).

15 PALABRAS CON *V* (y 2)

Otras reglas de la *v*

- Se escriben con *v* las formas verbales que terminan en ***-uve***, ***-uviste***, ***-uvo***, ***-uvimos***, ***-uvisteis***, ***-uvieron*** (pretérito indefinido de indicativo), excepto las formas del verbo ***haber*** **(*hubo*, *hubiste*, *hubo*...)**:

  tuviste ***tuvo***

- Se escriben con *v* todas las formas verbales del verbo ***ir***, excepto ***iba***, ***ibas***, ***iba***, ***íbamos***, ***ibais***, ***iban***:

  voy ***vamos*** ***van***

- Se escriben con *v* los adjetivos que terminan en ***-avo(a)***, ***-evo (a)***, ***-ivo(a)***, ***-eve***, ***-ave***:

  octavo ***nueva*** ***nativo*** ***leve*** ***grave***

- Se escriben con *v* todas las palabras que terminan en ***-voro (a)***, excepto ***víbora***:

  carnívoro ***herbívora***

ATENCIÓN

Se escriben con *v* los números y las estaciones del año que contienen ese sonido: *nue**v**e, octa**v**o, prima**v**era, in**v**ierno*.

FÍJESE

Estas palabras siempre se escriben con *v*.		Estas palabras nunca se escriben con *v*:	
• *llover*	• *nevar*	• *hierba*	• *barba*
• *levantar*	• *vela*	• *prohibir*	• *labio*
• *vestir*	• *vuelta*	• *barriga*	• *botón*

1 Escriba estas oraciones con la forma verbal adecuada (todas ellas contienen *b* o *v*):

a) Ayer (*estar, yo*) .... con mis amigos en las fiestas del barrio.

b) ¿Qué profesora de español (*tener, tú*) .... el año pasado?

c) El fin de semana pasado (*haber*) .... una tormenta terrible.

d) ¿Con quién (*estar, ellos*) .... toda la noche?

2 Forme adjetivos que terminen en *-ivo* o *-iva con cada una de estas palabras*:

- educar ....
- conflicto ....
- curar ....
- defensa ....

3 Complete estas frases con formas del verbo *ir* en presente:

a) ¿.......... ustedes hoy al teatro?

b) Nosotros .... siempre caminando hasta la estación.

c) .... yo a abrir la puerta; estoy segura de que es Joaquín.

4 Complete el siguiente texto con las palabras definidas en los paréntesis:

El (estación del año) .... pasado (pasado de *estar*) .... en los Andes. Estábamos de excursión y, repentinamente, empezó a (caer nieve) .... Aunque habían anunciado temperaturas suaves, el frío era terrible. Como no podíamos soportarlo más, (pasado de *tener*).......... que refugiarnos en una (gruta) ....

16 PALABRAS CON *B* Y *V*

En español hay algunas palabras que, aunque se pronuncien igual, se escriben de forma diferente (y tienen significados distintos). Unas se escriben con *b* y otras con *v*:

bello (*bonito*) = /*bello*/ **vello** (*pelo*) = /*bello*/

Estos son algunos ejemplos:

- **tubo** (*conducto*) / **tuvo** (pret. indefinido de *tener*):

  *El **tubo** de escape está estropeado.*

  ***Tuvo** que comprarse un traje nuevo.*

- **sabia** (*que sabe*) / **savia** (*líquido vegetal*):

  *Tu abuela es muy **sabia**.*

  *La **savia** de los árboles es como la sangre de las personas.*

- **botar** (*dar botes*) / **votar** (*dar un voto*):

  *La pelota y el balón **botan**.*

  *¿A quién **votarás** para el consejo?*

ATENCIÓN

Si una palabra se escribe con ***b*** o con ***v***, las palabras de la misma familia también se escriben con ***b*** o con ***v***:

- ***b**ajo* → ***b**ajar*, ***b**ajito*
- ***v**aca* → ***v**acuno*, ***v**aquero*

1. **Lea las siguientes frases y elija la palabra adecuada:**

a) Mi hermano Jaime tiene muy poco (*bello/vello*) en los brazos.

b) Iré a (*botar/votar*) a la salida de las clases.

c) Mi abuelo siempre me decía: «Si estudias mucho, llegarás a ser (*sabia/savia*)».

2. **Escriba una frase con cada una de estas palabras:**

- bienes (posesiones) ....
- vienes (presente del verbo *venir*) ....

3. **Complete estas frases con *tuvo* o *tubo*:**

a) Mi abuela .... cinco hijos en seis años.

b) ¿Puedes acercarme el .... de pasta de dientes, por favor?

c) Alicia .... que venir a ayudarme a instalar el .... de la luz.

4. **Lea el texto y elija la palabra adecuada en cada caso:**

Ayer fuimos a los lagos de Covadonga. Llevábamos en la (*baca/vaca*) del coche las bicicletas. Hacía muy buen tiempo. El sol brillaba y en el cielo no había ni una nube. Al subir, tuvimos que esquivar a una (*baca/vaca*) que estaba parada en la carretera. Al cabo de un rato, oímos un ruido muy raro. El (*tubo/tuvo*) de escape se había roto. Como Luis no (*sabía/savia*) de mecánica, (*tubo/tuvo*) que llamar a la grúa y volver, ¡qué mala suerte!

17 PALABRAS CON *G*

Sonidos que puede representar la letra *g*

La letra *g* delante de vocal puede representar dos sonidos:

- El sonido **/x/** ante ***e***, ***i***: ***ge**nte, **gi**rasol, **ge**neral, **gi**tano.*
- El sonido **/g/** ante ***a***, ***o***, ***u***, ***ue***, ***ui***: ***ga**fas, **go**ma, **gu**star, **gue**rra, **gui**-tarra.*

Algunas reglas de la letra *g* para el sonido /g/

- Se escribe ***g*** delante de ***a***, ***o***, ***u***:

  ***ga**fas* ***go**rro* ***Gu**tiérrez*

- Se escribe ***gu*** delante de ***e, i,*** siendo la *u* muda:

  *man**gue**ra* ***gui**sante* *se**gui**r*

Cuando la *u* en *gue*, *gui* no es muda se escribe *güe, güi*: *ci**güe**ña, pin**güi**no.*

Algunas reglas de la letra *g* para el sonido /x/

- Se escriben con *g* las palabras que empiezan por ***geo-***:

  ***geo**grafía* ***geo**metría*

- Se escriben con *g* las palabras que empiezan por ***ing-***:

  ***ing**eniero* ***ing**enuo*

- Se escriben con *g* las palabras que terminan en ***-gen***, ***-gia***, ***-gio***, ***-gión*** y ***-gional***:

  *mar**gen*** *ma**gia*** *cole**gio*** *reli**gión*** *re**gional***

- Se escriben con *g* ante ***e, i*** los verbos que terminan en ***-ger***, ***-gir*** pero con *j* ante ***a***, ***o***, ***u***:

  cojo ***coja*** ***elijo*** ***elija***

1. **Pronuncie las siguientes palabras en voz alta:**

- guante
- agencia
- guisante
- agüita
- regalo
- goma
- ágil
- cuelgue

2. **Escriba las palabras de la misma familia en cada columna:**

- imaginación
- originar
- marginación
- marginal
- imaginativo
- originalidad

origen	imagen	margen

3. **Escriba el infinitivo de estas formas verbales:**

- protegí..................
- dirijan..................
- encoja..................
- corriges..................
- exigimos..................
- escogió..................
- fingís..................
- acogido..................
- recojo..................

4. **Complete el texto con las palabras adecuadas:**

jugar	guisantes	vago
gente	seguirle	ignora
gusta	gazpacho	gato

Tengo un .... que es el animal más .... del mundo. Cuando llega .... a casa, él se queda mirando hacia el cielo y los .... para llamar su atención. Y cuando yo intento .... a algo con él, me hace .... por toda la casa. ¿Y saben lo que más le .... a mi gato? ¡El .... y los ....!

18 PALABRAS CON *J*

Algunas reglas de la *j* ante *e, i*

- Se escriben con *j* todas las palabras que terminan en ***-aje***:

  viaje ***paje*** *salv**aje***

- Se escriben con *j* todas las palabras que terminan en ***-jero(a)***, ***-jería***, excepto ***ligero***:

  *extran**jero*** *conse**jera*** *conser**jería***

- Se escriben con *j* las formas verbales cuyo infinitivo acaba en ***-cir***:

  dije *(decir)* ***condujeron*** *(conducir)* ***tradujiste*** *(traducir)*

ATENCIÓN

Si una palabra se escribe con *j*, las palabras de su familia también se escriben con *j*:

*masa**j**e* → *masa**j**ista* *ro**j**o* → *ro**j**izo*

FÍJESE

Estas palabras siempre se escriben con *j*, pero no siguen ninguna regla:

- *lejía*
- *sujetar*
- *tejido*
- *perejil*
- *objeto*
- *mejillón*

Estas palabras nunca se escriben con *j*:

- *anginas*
- *vegetal*
- *Ángel*
- *gitano*
- *geranio*
- *gigante*

1 **Forme palabras terminadas en *-aje* a partir de las siguientes:**

- persona ....
- equipo..........
- lengua ....
- aterrizar..........
- hospedar..........
- espía ....

2 **Complete las frases con las palabras que aparecen definidas entre paréntesis:**

a) He dejado el coche aparcado en el .... (lugar cubierto para el coche).

b) Hoy he recibido doce .... (correos electrónicos) en mi ordenador.

c) El reloj está estropeado; voy a llevarlo a la .... (lugar donde se venden y arreglan relojes).

d) Los .... (personas que viajan) deben mostrar su billete al conductor.

3 **Ponga los infinitivos en pretérito indefinido:**

a) Anoche, Ángel y Ana nos (*conducir*) .... a su casa y nos invitaron a cenar.

b) ¿Cómo (*deducir, tú*) .... que todo era una broma?

c) Las lluvias (*producir*) .... graves inundaciones.

d) Yo (*decir*) .... la verdad.

4 **Complete el siguiente texto con las palabras del cuadro:**

bajito	extranjero	jirafa	viajes	Jorge

Mi hermano se llama .... y mi padre se llama Julián. Los tres vamos a jugar al fútbol los sábados, aunque a mí me gustaría más el baloncesto, pero soy demasiado .... ¡Si yo fuera una ....! El año que viene mi hermano y yo vamos a entrar en el equipo juvenil e incluso creo que haremos .... por el ....

19 PALABRAS CON *S* Y PALABRAS CON *X*

Algunas reglas de la *s*

- Se escribe *s* delante de ***b***, ***f***, ***g***, ***l***, ***m*** y ***q***, excepto ***exquisito***:

***es**belto*	***es**fuerzo*	***es**grima*
***es**logan*	***es**malte*	***es**quina*

Algunas reglas de la *x*

- Se escriben con *x* las palabras que empiezan por ***ex-***, seguido de *vocal* o *h* intercalada:

***ex**ilio* ***ex**haustivo*

- Se escriben con *x* las palabras que comienzan por ***expla-***, ***expli-***, ***explo-***, ***expre-***, ***expri-*** y ***expro-***:

***expla**nada*	***expli**cación*	***explo**ración*
***expre**sar*	***expri**mir*	***expro**piar*

FÍJESE

Estas palabras siempre se escriben con **s**, pero no siguen ninguna regla:

- *espléndido*
- *espeso*
- *espectáculo*
- *espía*
- *escribir*
- *estructura*

Estas palabras siempre se escriben con **x**, pero no siguen ninguna regla:

- *extremo*
- *expulsión*
- *asfixia*
- *excursión*
- *próximo*
- *boxeo*

Ejercicios

1. **Escriba las palabras que faltan en estas frases:**

a) Esta mañana he visitado una _ _ P _ _ _ C _ _ N (muestra de obras de arte) de Chillida.

b) Javier ha estudiado mucho para su _ _ _ M _ _ (prueba) de español.

c) Esta noche he tenido un sueño muy _ _ _ _ _ Ñ _ (raro).

d) En este estadio de fútbol caben tres mil _ _ _ _ _ _ _ _ _ _ _ _ (personas que forman el público).

2. **Añada *ex-* o *es-* para completar estas palabras:**

- .... pía
- .... tensión
- .... pectacular
- .... cusa
- .... pontáneo
- .... cepto

3. **Complete estas frases utilizando las palabras del cuadro:**

estructura	espléndida	excursión

a) La .... al Amazonas fue emocionante.

b) La obra de teatro que vimos ayer es ....

c) Creo que la .... del nuevo museo es asombrosa.

4. **Complete el texto con las palabras del cuadro:**

éxito	espectáculo	estreno	excelente	próximo

El cartel del teatro decía: «¡Atención, el .... va a comenzar! El .... viernes será el día del .... La función durará dos horas. Prometemos una .... representación. Advertencia: la participación del público será necesaria para garantizar el .... de la obra».

20 PALABRAS CON *LL* Y PALABRAS CON *Y*

Algunas reglas de la *ll*

- Se escriben con *ll* las palabras que terminan en ***-illo***, ***illa***:

  barquillo ***silla***

- Se escriben con *ll* las palabras que terminan en ***-alle***, ***-elle***, ***-ello*** y ***-ella***, excepto ***subraye*** y ***raye***:

  valle ***muelle*** ***sello*** ***huella***

- Se escriben con *ll* todas las formas del verbo ***hallar***:

  hallé ***hallaron***

Algunas reglas de la *y*

- Se escriben con *y* los plurales de las palabras acabadas en ***-y***:

  buey → ***bueyes*** ***ley*** → ***leyes***

- Se escriben con *y* las formas verbales de verbos cuyo infinitivo no lleva *y* ni *ll*:

  oír → ***oye*** ***creer*** → ***creyó***

ATENCIÓN

El sonido de la *i* al final de palabra suele escribirse con *y*: *ho**y***, *re**y***.

FÍJESE

Estas palabras siempre se escriben con ***ll***, pero no siguen ninguna regla:

- *allí*
- *llave*
- *llegar*

Estas palabras siempre se escriben con ***y***, pero no siguen ninguna regla:

- *playa*
- *ya*
- *ayer*

1. **Forme palabras añadiendo *-illa* o *-illo*:**

   • bocado: .... • pasta: .... • paso: ....

   • molino: .... • sombra: .... • casa: ....

2. **Complete estas frases con la forma verbal que se indica entre paréntesis:**

   a) La cebra .... [presente de *huir*] del león.

   b) Todos .... [presente de *oír*] el ruido del terremoto.

   c) La semana pasada .... [pasado de *caer*] un trueno sobre mi casa.

   d) Ayer .... [pasado de *concluir*] el festival de cine de San Sebastián.

3. **Escriba una frase con cada una de estas palabras. Observe que, aunque se escriben de forma muy parecida, el significado es distinto:**

   a) halla [encuentra]: ....

   haya [forma del verbo *haber*]: ....

   b) ralla [forma del verbo *rallar*]: ....

   raya [línea]: ....

4. **Complete el siguiente texto con las palabras del cuadro:**

ballena	ayer	hallaron	playa	llegó	ayuda	llevaron

.... ocurrió algo insólito. .... una .... a la playa de Barcelona. La .... sobre la arena, con grandes dificultades para respirar. Afortunadamente, la .... fue rápida y la .... de nuevo al mar a salvo.

21 PALABRAS CON *C*, *Z* Y *S*

Reglas para el uso de *c* y *z* para el sonido /θ/

- Se escribe *c* delante de ***e***, ***i***, excepto ***nazi***, ***zigzag***, ***Zeus***, ***Ezequiel***:

  ***ce**na* ***ci**ne* ***ce**ntro*

- Se escribe *z* delante de ***a, o, u***:

  ***za**pato* ***zo**na* *a**zu**l*

- Se escribe *z* en posición final de sílaba o de palabra:

  *bi**z**cocho* *a**z**teca* *jue**z*** *cru**z***

Reglas para el uso de *c*, *z* y *s*

La mayor parte de los hispanohablantes pronuncian la *c* (ante *e*, *i*), la *z* y la *s* de la misma forma. Las siguientes reglas pueden ayudar a distinguirlas:

- Se escribe *s* cuando es una marca de plural:

  *leone**s*** *revista**s*** *persona**s***

- Se escriben con *s* las palabras acabadas en ***-ismo***, ***-ista***:

  *impresion**ismo*** *futbol**ista***

- Se escriben con *z* los adjetivos terminados en ***-az***:

  *efic**az*** *cap**az***

- Se escriben con *c* los verbos acabados en ***-acer***, ***-ocer***, ***-ucir***, ***-ecer***, excepto ***coser*** y ***toser***:

  hacer ***cocer*** ***reducir*** ***crecer***

1 Escriba el plural de las siguientes palabras:

- cruz ....
- voz ....
- luz ....
- tapiz ....

2 Escriba la primera y la segunda persona del singular del presente de indicativo de los siguientes verbos:

a) cruzar ...., ...

b) conocer ...., ...

c) cocer ...., ...

3 Complete las frases siguiendo las indicaciones de los paréntesis:

a) Laura es muy .... (persona que hace mucho deporte); va todos los días a nadar.

b) Quiero que .... (2.ª persona singular del verbo *utilizar* en presente) esa manguera para regar el jardín.

c) Estoy segura de que Ricardo es .... (no capaz) de enfadarse por eso.

4 Complete el siguiente texto con las palabras que figuran en el recuadro:

cocer	zumo	conozco	fácil	cocina
hacer	cacerola	introducir	diez	dulce

No .... a nadie que no sepa .... un huevo. Es lo más .... que se puede .... en la .... Solo hay que .... el huevo en la .... y esperar .... minutos. Luego, ya está listo para servir. A mí me gusta para desayunar con .... de leche, tostadas y .... de naranja.

22 PALABRAS CON *C*, *K* Y *QU*

Diferencias entre *c*, *k* y *qu* (para el sonido /k/)

Las letras *c* (ante *a*, *o*, *u*), *qu* (ante *e*, *i*) y *k* (ante cualquier vocal) tienen el mismo sonido. Las diferencias entre *c* y *qu* son muy claras. Sin embargo, para conocer cuándo una palabra se escribe con *k* a veces es necesario consultar el diccionario.

Uso de la *c*

- Se escriben *c* delante de las vocales ***a***, ***o***, ***u***, y, en algunos casos, al final de palabra y delante de consonante:

casa ***coma*** ***cubo*** ***bistec*** ***recreo***

Uso de la *qu*

- Se escribe *qu* delante de ***e***, ***i*** (la u no se pronuncia):

que ***aquel*** ***quiero***

Uso de la *k*

- Se escribe *k* en algunas palabras de origen extranjero:

kilo ***kárate*** ***anorak***

FÍJESE

Estas palabras siempre se escriben con ***c*** final:

- *frac*
- *clic*
- *tictac*
- *croac*

Estas palabras pueden escribirse con ***c*** o con ***k***:

- *kilo/quilo*
- *kiosco/quiosco*

1. **Escriba la palabra que corresponda a la definición:**

a) Verbo que significa *amar*, *desear*: _ _ _ _ E R

b) Producto lácteo de olor fuerte: _ _ _ S O

c) Prenda de mucho abrigo para el invierno: A _ _ R _ _

2. **Escriba *c* o *qu* en las palabras del cuadro y después complete las frases con ellas:**

..............edarme	..............abras	..............ilates
..............orbata	..............ama	

a) Las .... suelen vivir en zonas de montaña.

b) Me apetece mucho .... en la ....

c) Es un diamante de veinticinco ....

d) Ajústate el nudo de la ....

3. **Complete el siguiente texto con las palabras del cuadro:**

cuánto	coliflor	brocoli
quisiera	caro	
quiero	cuartos	carne
calabacines	kilos	

¡Buenos días! .... dos .... de .... ¿Qué tal está hoy el melón? ¡Uy! ¡Qué ....! ¡ .... han subido los precios últimamente! También .... tres .... de .... Tiene muy buen aspecto. Deme también ....; dicen que sale muy bueno con la .... guisada. ¡Gracias! ¡Qué tarde! Todavía tengo que ir a la carnicería.

23 PALABRAS CON *R* Y PALABRAS CON *RR*

La letra *r*

La letra *r* puede representar dos sonidos distintos:

- El sonido vibrante simple */r/*:

  cara *aeropuerto* *Uruguay*

- El sonido vibrante múltiple */r̄/*:

  Enrique *rosa* *subrayar*

Este sonido puede estar también representado por *rr*:

perro *arriba*

Uso de *r* y *rr* para el sonido */r̄/*

- Se escribe *-rr-* si el sonido */r̄/* aparece entre vocales:

  carro *turrón* *cerrojo*

- Se escribe *r* al principio de palabra:

  raqueta *rosa*

- Se escribe *r* detrás de las consonantes ***l***, ***n*** y ***s***:

  alrededor *enredar* *Israel*

- Se escribe *r* detrás de las consonantes ***b*** y ***d*** cuando la *r* no forma sílaba con ellas:

  subrayar

1. **Escriba una palabra que signifique lo contrario de cada una de las siguientes (todas ellas contienen *r* o *rr*):**

- lento → ……………
- abajo → ……………
- barato → ……………
- llorar → ……………

❑ **Escriba una frase con cada una de ellas.**

2. **Busque en la sopa de letras tres palabras con *r* y tres con *rr*:**

A	Q	R	Y	U	O	L	Ñ	A	I
R	A	M	F	I	S	R	A	E	L
R	L	J	E	N	P	I	R	X	A
O	A	R	J	O	A	V	I	I	L
Z	H	M	H	O	R	R	O	R	R
A	G	I	L	N	E	B	W	Z	E
S	U	B	R	A	Y	A	D	O	G
O	E	R	E	C	O	I	B	U	R
O	T	L	R	S	U	S	E	R	S
S	C	O	R	R	E	C	T	O	M

Palabras con *r*:

……………

……………

……………

Palabras con *rr*:

……………

……………

……………

3. **Complete el siguiente texto con las palabras del cuadro:**

barcas	río	tierra	raro	revuelto	región

Cuando el ……………… se desbordó el agua llegó al pueblo y los bomberos, rápidamente, tuvieron que sacar a la gente de sus casas. Todo estaba ……………… y, en la ………………, era difícil encontrar un poco de ……………… que no estuviera cubierta por las aguas. Era muy ………………, pero también divertido, ver pasar a las ……………… por la plaza.

1. **Complete este cuadro siguiendo el primer ejemplo:**

país	capital	gentilicio
Venezuela	Caracas	venezolano
Argentina	....	....
Chile	....	....
Colombia	....	....
Perú	....	....
España	....	....

2. **Ponga las mayúsculas necesarias en las siguientes frases:**

a) el punto más cercano entre europa y américa es el estrecho de bering.

b) la montaña más alta del mundo es el everest.

c) Mi padre se apellida fernández y mi madre monforte, así que yo me llamo matilde fernández monforte.

3. **Escriba dos formas verbales de los siguientes infinitivos:**

- hacer ....
- haber ....
- hallar ....
- hablar ....

4. **Elija la palabra correcta para estas frases:**

a) ¡(*Hasta/Asta*) pronto, espero!

b) Llegó una (*hola/ola*) tan fuerte, que el niño tragó mucho agua.

c) Todavía (*hay/ay*) muchas cosas que hacer.

d) He (*hecho/echo*) un pastel exquisito.

5. **Escriba dos formas del pretérito imperfecto de indicativo de los siguientes infinitivos:**

- cocinar: ....
- amar: ....
- saltar: ....
- soñar: ....
- ir: ....
- deber: ....
- probar: ....
- distribuir: ....

6 Elija en cada caso la palabra adecuada:

a) *La Maja Vestida* de Goya tiene un *bello/vello* rostro.

b) Mi leche preferida es la de *baca/vaca*.

c) La *sabia/savia* de los robles es muy rica en minerales.

7 Escriba los verbos entre paréntesis en pretérito indefinido de indicativo:

a) Jorge (*fingir*) .... que prestaba atención.

b) Marisa (*elegir*) .... una profesión apasionante.

c) Cuando visité Londres (*conducir*) .... por la izquierda.

8 Complete con una palabra del recuadro las siguientes frases:

concluyó
huyó
bocadillo
pollo

a) Quiero un .... de jamón y queso.

b) La víctima .... del fuego a toda prisa.

c) La gira del grupo .... el mes de agosto.

d) Mi hijo detesta el .... asado.

9 Escriba tres palabras que contengan *rr* y tres que contengan *r* para ese mismo sonido:

- .... • ....
- .... • ....
- .... • ....

❑ **Escriba una frase con cada una de ellas.**

REGLAS DE PUNTUACIÓN

Bloque III

24 EL PUNTO (.)

¿Qué indica el punto?

El punto sirve para separar frases con sentido completo.

¿Qué tipos de punto hay?

- **Punto y seguido**: se usa cuando, en un texto, seguimos hablando del mismo tema, idea o asunto.
- **Punto y aparte**: se usa cuando, en un texto, se cambia de tema, idea o asunto total o parcialmente.
- **Punto final**: se coloca al final de un texto. Indica que el texto se ha acabado.

Hoy es domingo. Durante todo el año, en Madrid hay un rastro en el que se pueden comprar muchas cosas por poco dinero.

La tradición del rastro no solo es española, sino que en muchísimos países de América Latina también hay mercados y mercadillos semanales de características parecidas.

punto y seguido

punto y aparte

punto final

ATENCIÓN

- Después de punto, siempre se escribe **mayúscula**.
- Después de las **abreviaturas** siempre se escribe un punto: *Dra.* (doctora), *etc.* (etcétera), *S. A.,* (Sociedad Anónima).

1. Coloque puntos donde sea necesario:

a) Hoy es martes no podemos ir al rastro

b) No estoy de acuerdo contigo me voy de aquí

c) Mi nuevo trabajo es muy interesante me gusta mucho lo que hago

d) Se me ha acabado la tinta de la pluma me puedes prestar un cartucho, por favor

e) Acaban de llamar por teléfono no sé quién podrá ser

2. Lea el texto y ponga los puntos donde corresponda:

Siempre hemos querido visitar Cuba creemos que es un país fascinante todo el mundo que ha estado allí ha regresado encantado parece que todo en esa isla merece la pena: el paisaje es bonito y la gente tiene fama de ser muy amable tan pronto como consigamos ahorrar un poco, compraremos un pasaje y volaremos a La Habana

3. Lea este texto y coloque los puntos donde corresponda. No olvide las mayúsculas.

hoy en día hay cuatrocientos millones de hispanohablantes están repartidos entre América Latina, Estados Unidos y Europa

el español se ha convertido en una lengua universal, la tercera más hablada en el mundo por eso, muchas personas creen que es importante aprender este idioma

aunque hay muchas variedades de español todos los hispanohablantes se entienden entre sí desde California hasta la Patagonia es posible comunicarse gracias a una lengua en común

❑ **Señale en cada caso qué tipo de punto ha empleado.**

25 LA COMA (,)

¿Qué indica la coma?

La coma separa partes de una frase. Indica una pausa breve en la lectura:

Si quieres, te llevo en auto.

¿Cuándo se utiliza la coma?

- Se utiliza para separar los elementos de una enumeración:

  Este año iré a Guatemala, Costa Rica, Nicaragua y El Salvador.

- Se utiliza para separar del resto de la frase a la persona que habla:

  Natalia, no te olvides de comprar azúcar.

- Se utiliza para separar expresiones como *es decir, por ejemplo, en fin, por último, además, sin embargo, por tanto...*

  Podrías empezar a leer algún libro en español; por ejemplo, Sin noticias de Gurb.

- Se utiliza para introducir aclaraciones y explicaciones:

  La capital de Chile, Santiago, está cerca de los Andes.

- Se utiliza para separar oraciones condicionales:

  Si quieres, puedo ayudarte a elegir los pantalones.

ATENCIÓN

Antes del último elemento de la enumeración no se pone coma, sino ***y***: *Compré guayabas, batatas, mangos* ***y*** *bananas.*

1 Coloque comas donde sea necesario en estas frases:

a) Ana tráeme un vaso de agua por favor.

b) Patricia habla muchos idiomas: inglés francés alemán y español.

c) Si llueve no iremos a la playa.

d) El próximo jueves fiesta nacional no habrá clase.

e) En fin no te preocupes demasiado por esas cosas.

2 Complete las siguientes frases con enumeraciones:

a) En la panadería tengo que comprar ....

b) En la pescadería me he encontrado con ....

c) Las últimas películas que he visto son ....

d) Los colores que más me gustan son ....

3 Explique el significado de estas frases. Fíjese en la posición de la coma:

a) ¿Cuándo nos veremos? Mañana no, estoy ocupada.

¿Cuándo nos veremos? Mañana, no estoy ocupada.

b) Se lo contó todo claro.

Se lo contó todo, claro.

4 Lea el texto y coloque las comas donde corresponda:

Mi hijo Pablo no sabe muy bien qué estudiar en la universidad. El otro día me preguntó qué era mejor estudiar si economía filosofía arte o filología. Yo le respondí que no había cosas mejores ni peores y que debía elegir la carrera que le interesara más y para la que estuviera mejor capacitado. Tómate tu tiempo para pensarlo le dije habla con la gente pregunta lo que no sepas y sobre todo ten en cuenta que el que va a estudiar la carrera vas a ser tú.

26 LOS DOS PUNTOS (:) Y EL PUNTO Y COMA (;)

¿Qué indican los dos puntos?

Los dos puntos indican una pausa equivalente al punto, pero no señalan el final de una frase.

¿Cuándo se utilizan los dos puntos?

- Detrás de las fórmulas con que se empieza una carta, discurso, etcétera:

  Querida mamá: *Estimado director:*

- Cuando se introduce o se cierra una enumeración:

  Mis colores favoritos son los siguientes: azul, verde y gris.

- Para introducir ejemplos y citas literales:

  Calderón dijo: «La vida es sueño y los sueños, sueños son».

- Delante de una conclusión o resumen:

  Trabajas demasiado y duermes poco: tienes que cuidarte.

¿Qué indica el punto y coma?

El punto y coma indica una pausa menor que el punto pero mayor que la coma.

¿Cuándo se utiliza el punto y coma?

- Para separar frases que guardan bastante relación:

  Ayer estuve en Barcelona; hoy iré a Madrid.

- Para separar elementos de una enumeración cuando uno de ellos lleva coma:

  Mi padre es médico; el de Juan, agricultor.

1. Coloque los dos puntos donde sea necesario:

a) Pablo se levantó y dijo «Tengo un hambre de lobo».

b) En el Amazonas hay especies muy peligrosas anacondas, tarántulas, pirañas...

c) Mis aficiones favoritas son las siguientes viajar leer dormir y comer.

d) Me encontré con Pepe y me dijo «¡Qué pronto has llegado!»

e) Estimado doctor
Me dirijo a Ud. para pedirle una cita.

2. Coloque el punto y coma donde sea necesario:

a) Mi madre es pianista mi padre, panadero.

b) Juan no tiene razón está muy equivocado.

c) El verano pasado estuvimos en Burgos, este iremos a Santander.

d) El Ebro pasa por Zaragoza el Guadalquivir, por Sevilla.

e) Las elecciones serán el 15 de mayo por lo tanto, solo quedan tres semanas.

3. Lea atentamente este texto y coloque dos puntos y punto y coma donde lo considere necesario:

Estimado Sr. Alcalde

Me gustaría expresarle mi agradecimiento por haber respondido tan rápidamente a mi carta de la pasada semana sin embargo, me gustaría matizar algunos aspectos. Por ejemplo los referidos al tráfico de la ciudad y a los nuevos árboles plantados los últimos meses. Y cómo no citar temas como los siguientes contaminación, transporte público o seguridad.

Para aclarar todo esto, le envío con esta carta una serie de informes que explican claramente cuál es el verdadero estado de estos temas.

Estimado señor, no quisiera que esta carta crease ningún malentendido entre nosotros, sino que, al contrario, sirva para que, juntando nuestras fuerzas, consigamos tener una ciudad mejor.

27 LOS SIGNOS DE INTERROGACIÓN (¿?) Y DE EXCLAMACIÓN (¡!)

¿Qué indican los signos de interrogación?

Los signos de interrogación indican dónde empieza (¿) y dónde acaba (?) una pregunta:

¿Qué día de la semana es hoy?

¿Cuándo se utilizan los signos de interrogación?

Los signos de interrogación se utilizan siempre que formulamos una pregunta:

¿Qué hora es? ¿Ya son las siete?

¿Qué indican los signos de exclamación?

Los signos de exclamación indican dónde empieza (¡) y dónde acaba (!) una exclamación.

¿Cuándo se utilizan los signos de exclamación?

Los signos de exclamación se utilizan siempre que se hace una exclamación para expresar sorpresa, miedo, emoción, etc.:

¡Ay! ¡Qué daño! ¡Me he pillado el dedo!

ATENCIÓN

- A diferencia de otros idiomas, en español es obligatorio el uso de los signos de exclamación e interrogación al principio y al final de la oración.

- Después de los signos de interrogación y exclamación no se escribe punto: *¿Qué te parece la obra? A mí me ha encantado.*

1. **Escriba preguntas para estas respuestas:**

a) ....

Hemos pasado el fin de semana en Cartagena de Indias.

b) ....

Estamos acabando las tareas para la clase de mañana.

c) ....

Mi película favorita es *Mujeres al borde de un ataque de nervios.*

d) ....

No, no he leído *Cien años de soledad.*

2. **Invente oraciones exclamativas para estas situaciones:**

a) Hay 45 grados centígrados a la sombra.

....

b) Acabas de comprarte un vestido precioso en las rebajas.

....

c) Has visto una película extraordinaria.

....

d) Vas en el coche y te das cuenta de que te has confundido de carretera.

....

3. **Lea este texto y coloque los signos de interrogación y exclamación donde sea necesario. Escriba también los puntos que faltan:**

Mi querida Laura, cómo estás Hace por lo menos un siglo que no te veo Te has casado Con quién Pero si tú decías que nunca te ibas a casar Hay que ver cómo pasa el tiempo Y ahora qué planes tienes Perdón, qué planes tenéis Bueno, ya me contarás Te mando un beso miles de besos Escríbeme

28 LOS PUNTOS SUSPENSIVOS (...), LAS COMILLAS (« ») Y LOS PARÉNTESIS ( )

¿Para qué se utilizan los puntos suspensivos?

- Para indicar que una enumeración no está completa. En este caso, se pueden sustituir por etc.:

  El guacamole lleva aguacate, tomate, pimiento, ajo...

- Para indicar que no se termina lo que se está diciendo o para sugerir algo:

  A buen entendedor...

  Si te viera tu hermano ahora...

- Para indicar duda:

  Bueno..., pero..., yo no sé si..., quizás sea mejor que no vengas.

¿Para qué se utilizan las comillas?

- Para reproducir las palabras de otra persona:

  Como dijo Gracián: «Lo bueno, si breve, dos veces bueno».

- Para indicar que una palabra es extranjera o que se utiliza con sentido irónico o figurado:

  A Raúl le encanta ver el «Giro» de Italia en televisión.

  Después de tus insultos, ya sé que eres muy «simpático».

¿Para qué se utilizan los paréntesis?

- Para introducir aclaraciones sobre lo que se está diciendo o comentarios que pueden omitirse:

  La ciudad de Potosí (Bolivia) es una joya histórica.

1 Escriba enumeraciones incompletas utilizando los puntos suspensivos:

a) En el bolso llevo de todo: ...

b) En el Museo del Prado hay cuadros de muchos pintores famosos: ...

c) Aquí puedes comprar todo tipo de muebles: ...

d) En la frutería hay un gran surtido de: ...

2 Convierta estas frases en palabras textuales como en el ejemplo:

a) ¡Tengo calor! ⟶ *Teresa exclamó: «¡Tengo calor!».*

b) ¡No estoy de acuerdo! ...

c) ¿Cuántos años crees que tiene el profesor? ...

d) Hazlo por mí, por favor. ...

e) ¿Me dejas probarme tu chaqueta? ...

3 Emplee las comillas para señalar los términos extranjeros y los irónicos o figurados:

a) He recibido un e-mail de un amigo francés.

b) ¿Puedes prestarme tu aftersun? Creo que me he quemado con el sol.

c) Te veo muy puntual: solo has llegado media hora tarde.

4 Lea el texto y ponga los paréntesis necesarios:

La Rioja España es la comunidad autónoma más pequeña de la Península. Sus principales ingresos proceden de la agricultura vid, espárragos, pimientos, tomates... y de la industria de la conserva. La otra Rioja Argentina recibió este nombre porque muchos de los españoles que allí se instalaron procedían de la región española del mismo nombre.

29 EL GUIÓN (-) Y LA RAYA (—)

¿Para qué se utiliza el guión?

El guión se utiliza para dividir una palabra al final de una línea cuando no cabe entera. Para ello, hay que tener en cuenta las siguientes reglas:

- Las palabras deben separarse por sílabas:

co-mi-da *es-cul-tor* *dú-o*

- Los diptongos y triptongos no deben separarse:

hue-so *ro-er* *fue-go*

- El guión también sirve para separar algunas palabras compuestas:

histórico-sociológico *franco-italiano*

¿Para qué se utiliza la raya?

- Para señalar la intervención de los personajes en un diálogo:

Marcos preguntó:

—¿Quieres venir conmigo?

- Para explicar o hacer un comentario o aclaración:

—Mañana empiezo a trabajar —aclaró el joven.

ATENCIÓN

No se debe dejar una vocal sola al principio o al final de una línea: *arro-yo*, no *a-rro-yo*; *oca-so*, no *o-caso*; *ví-deo*, no *víde-o.*

1 Separe con un guión las siguientes palabras de todas las formas posibles al final de la línea:

- Ernesto
- malhumorado
- miércoles
- visitó
- tierra
- cuaderno

2 Lea el texto y ponga la raya donde sea necesario:

La niña se despertó de un intenso sueño y al verse sola buscó a su madre.

¿Adónde vamos, mamá?

No lo sé. Depende de lo que ocurra mañana le contestó su madre y añadió: Tu padre ha ido a buscar comida, así que esperaremos a que vuelva.

De acuerdo dijo la niña todavía asustada. Y volvió a dormirse.

3 Forme palabras compuestas uniendo los elementos de las dos columnas:

- anglo
- anti
- teórico
- práctico
- hablante
- social

4 Lea atentamente este texto y coloque el guión y la raya donde lo considere necesario:

Pedro, te han dejado un mensaje en el contestador automático.

¿No ha dicho quién era?

No, pero era una chica con acento extranjero, algo así como ruso eslavo.

¿Y qué ha dicho?

Te repito literalmente lo que ha dicho porque no la entendía bien: «Pedro, ya he regresado a Madrid. Me gustaría verte pronto. ¿Por dónde andas? La gente del instituto científico técnico te manda muchos recuerdos. ¿Me llamas cuando puedas?».

1. **Coloque los puntos en el siguiente texto, y divídalo en los párrafos que crea conveniente:**

Vacaciones ecológicas en playas y puertos

Utilice las papeleras y asegúrese de separar los diferentes residuos para depositarlos en su contenedor correspondiente Desplácese a pie o en bicicleta, propia o alquilada Use el transporte público para ir a la playa Respete las instrucciones de seguridad y los códigos de conducta en la playa o en el puerto Disfrute de la naturaleza, pero trátela con respeto Limite el uso del agua y de electricidad, racionalice los recursos naturales Pase sus vacaciones en un sitio donde se cuide la naturaleza y escoja un hotel donde la gestión de servicios se realice respetando el medio ambiente

Carmen Alfonso: *El País*

2. **Coloque la coma donde sea necesario:**

a) Si te apetece puedo acompañarte al médico.

b) La mezcla de «rock» «jazz» «tecno» y «house» es muy corriente en la música actual.

c) Escucha Fernando no te vayas así.

d) La población de España de 40 millones de habitantes es una de las menos jóvenes de Europa.

e) Por último quisiera agradecerles su participación en este congreso de Lingüística española.

3. **Coloque los dos puntos y el punto y coma donde sea necesario, en las siguientes frases:**

a) La primera vez que le escuché hablar, me dije a mí mismo «Es una persona maravillosa».

b) Mañana tenemos muchas cosas que hacer ir a la compra, limpiar la casa, planchar y lavar la ropa.

c) El Greco es uno de sus pintores preferidos admira especialmente su forma de retratar a las personas.

d) El país más poblado del mundo es China por tanto, aprender su lengua tiene mucho futuro.

e) Pronto empezará a llover por lo tanto, deberíamos resguardarnos.

f) Ya es de noche pronto será hora de acostarse.

4 Escriba las preguntas adecuadas para estas respuestas:

a) .... Hace un año que estudio español.

b) .... Sí, he estado en Dinamarca y Finlandia.

c) .... Se ha vuelto a estropear el servicio.

5 Coloque las rayas en este diálogo:

Vienes perdido dijo Angelina, cuando lo vio detenerse en medio de la sala.

Está lloviendo a mares.

Se levantó y dejó la costura en la silla.

Anda, quítate la ropa que se seque. Ahora sí que pareces Cenicienta.

En realidad soy un príncipe encantado.

Lo miró de arriba abajo:

Fíjate qué zapatos. De dónde vendrás.

Ya te lo dije, de la tertulia respondió quitándose la gabardina.

Luis Landero: *Juegos de la edad tardía*

6 Ponga los puntos suspensivos y las comillas donde sea necesario:

a) Me encantan las flores: las rosas, las violetas, las azucenas.

b) La paella lleva arroz, pimiento, gambas.

c) Mi abuelo siempre decía: para ser libre hay que ser responsable.

d) El nuevo deporte de moda es el snow board.

e) La empresa necesita el savoir-faire de sus empleados.

REGLAS DE PALABRAS

Bloque IV

30 POR QUÉ, PORQUE, PORQUÉ

¿Cuándo se utiliza *por qué*?

Por qué se utiliza para introducir preguntas o exclamaciones:

*¿**Por qué** no trajiste el libro?*

*¡**Por qué** será tan tímido!*

¿Cuándo se utiliza *porque*?

Porque se utiliza para introducir respuestas o explicar la causa o motivo de algo:

***Porque** se me ha olvidado.*

***Porque** le da vergüenza hablar en público.*

¿Cuándo se utiliza *porqué*?

Porqué es un sustantivo que significa «el motivo, la causa» y puede sustituirse por estas palabras y escribirse en plural:

*No me importa el **porqué** de tu actuación.*

ATENCIÓN

- ***Por qué*** también puede ir en oraciones interrogativas indirectas:

  *No sé **por qué** se comporta de ese modo.*

- Existe también ***por que*** (preposición + pronombre relativo) pero es poco frecuente. Equivale a ***por el cual***, ***por la cual***:

  *Esta es la razón **por que** no fui a visitarte.*

  *Esta es la razón **por la cual** no fui a visitarte.*

Ejercicios

1 Complete estas oraciones con *por qué, porque* o *porqué(s)*:

a) No entiendo el .... de tu comportamiento.

b) ¿............ te has teñido el pelo de rojo?

.... me gusta como me queda.

c) Juan tiene sus .... Te los contará él mismo.

d) Dime .... no quieres seguir estudiando.

2 Escriba las preguntas o las respuestas que corresponden a estas frases:

a) ....

No fui porque me dolía muchísimo la cabeza.

b) ¿Por qué están de huelga los conductores de autobús?

....

3 Sustituya las palabras destacadas por *por qué, porque, por que* o *porqué*:

a) Me gustaría que me contaras el **motivo** de tu partida.

b) El camino **por el cual** está conduciendo está muy mal.

c) Ha regresado de su viaje, **puesto que** tenía cosas que hacer.

4 Complete los espacios con *por qué, porque* o *porqué*:

Mamá, mamá, ¿............ las mujeres pueden tener niños y los hombres no? Pues .... así es nuestra naturaleza, hijo. Ya, pero, mamá, ¿............ es así? Bueno, hijo, eso no lo sabe nadie. O al menos yo no lo sé. Si lo supiéramos habríamos encontrado el .... de los .... ¿No crees? Y ¿............?, mamá.

31 *ADÓNDE, ADONDE, A DONDE*

¿Cuándo se utiliza *adónde*?

Adónde se utiliza para introducir preguntas y exclamaciones:

*¿**Adónde** vas con tanta prisa?*

*¡**Adónde** hemos llegado!*

¿Cuándo se utiliza *adonde*?

Adonde se utiliza para referirnos a un lugar señalado anteriormente:

*La casa **adonde** me dirijo está en lo alto de la colina.*

¿Cuándo se utiliza *a donde*?

A donde solo se utiliza cuando el lugar al que se refiere todavía no ha sido mencionado en la oración:

*Iré **a donde** tú estés.*

ATENCIÓN

- La forma *a dónde* no existe.
- *Adónde* también puede ir en oraciones interrogativas indirectas:

  *No sé **adónde** quieren ir esta noche.*
- *Adónde*, *adonde* y *a donde* solo se emplean con verbos que significan dirección. Para otro tipo de verbos se utiliza *donde*:

  *Este es el lugar **donde** trabajo.*

1. **Complete estas frases con *adónde*, *adonde* o *a donde*:**

a) Este es el pueblo .... vamos en verano.

b) ¿.................. piensas ir con esa ropa?

.... me apetezca.

c) .... yo voy, tú no puedes venir.

d) No sé .... ir este fin de semana.

2. **Complete estas preguntas y respuestas con *adónde*, *adonde* y *a donde*:**

a) ¿.................. ha ido Marisa?

Creo que .... no podamos encontrarla.

b) ¿ .... vas tan deprisa?

Voy .... han ido los demás.

3. **Sustituya las palabras destacadas por *adónde*, *adonde* y *a donde*:**

a) Iremos al río **donde** fuimos el anterior fin de semana.

b) El restaurante **al que** íbamos los domingos cierra en agosto.

c) Sonia se dirige **donde** ha quedado con su novio.

4. **Complete los espacios de este texto con *adónde*, *adonde* y *a donde*:**

¿.................. habrá ido Patricia? No la he visto en todo el fin de semana. ¿Dónde crees tú que estará? ¿En la playa? .... ha ido no lo sé, pero estoy convencida de que se lo estará pasando genial. Lo cierto es que ella suele marcharse .... nadie la encuentre.

32 TAMBIÉN, TAN BIEN; TAMPOCO, TAN POCO

¿Cuándo se utiliza *también*?

También se utiliza para hacer una afirmación (suele expresar coincidencia con una afirmación anterior):

*Yo **también** me he comprado un coche nuevo.*

*Esta tarde iré al cine. Yo **también**.*

¿Cuándo se utiliza *tan bien*?

Tan bien se utiliza para hacer una comparación o para intensificar el significado de un verbo. Es lo contrario de *tan mal*:

*Juan habla **tan bien** francés como Luis.*

*Lo he pasado **tan bien**, que quiero repetir.*

¿Cuándo se utiliza *tampoco*?

Tampoco se utiliza para hacer una negación (suele expresar coincidencia con una negación anterior):

*A mí **tampoco** me apetece ir a la fiesta.*

*Esta tarde no iré al cine. Yo, **tampoco**.*

¿Cuándo se utiliza *tan poco*?

Tan poco se utiliza para hacer una comparación o para intensificar el significado de una palabra:

*Vicente ha tenido **tan poco** sentido del ridículo como un payaso.*

*Ha nevado **tan poco** que las montañas no están blancas.*

1 Complete estas frases con *también* o *tan bien*:

a) A César le gusta la música y a Álvaro ....

b) Nos lo pasamos .... en Santiago que volveremos a ir.

c) Mi padre no sabe cocinar .... como mi abuela.

d) Primero llegaron Beatriz y Yolanda y luego llegaron .... Silvia y Begoña.

e) Nunca había escuchado una poesía .... recitada.

2 Complete estas frases con *tampoco* y *tan poco*:

a) Me importa .... lo que piense Ana como lo que piensa Javier.

b) Jaime no vino a trabajar ayer y Mercedes ....

c) ¿ .... te importa su opinión?

d) A mí .... me gusta el sabor del ajo.

3 Complete estas frases con *tampoco*, *tan poco*, *también* y *tan bien*:

a) Yo .... he visto nunca un marciano.

b) El guiso salió .... que todos repetimos.

c) .... fueron a ver la misma película que nosotros.

d) Estoy .... entusiasmada con la idea como tú.

4 Complete los espacios de este texto con *tampoco*, *tan poco*, *también* y *tan bien*:

Nunca me había sentido .... como hasta ahora. Es cierto que quizás sea porque he cambiado de trabajo, pero .... pienso que es porque ahora vivo junto al mar. Aunque .... es que esté segura de ello, a lo mejor no tiene nada que ver. En todo caso, lo que pienso es que a veces hace falta .... para que una cambie tanto...

33 LAS CONJUNCIONES *Y/E, O/U*

¿Cuándo se utiliza la conjunción *y*?

La conjunción *y* se utiliza para expresar suma de varios elementos. También se emplea para unir los dos últimos términos de una enumeración:

*Marta **y** María son hermanas gemelas.*

*Llegué, vi **y** vencí.*

¿Cuándo se utiliza *e*?

E es una variante de *y* que se utiliza exclusivamente cuando la palabra que va después empieza por ***i-*** o ***hi-***:

*Berta **e** Isabel son primas hermanas.*

*Daniel observó la casa **e** intuyó que seguía deshabitada.*

¿Cuándo se utiliza *o*?

La conjunción *o* se utiliza para indicar elección entre varias opciones:

*Yo escogería el blanco **o** el azul.*

***O** vienes **o** te quedas, pero no me hagas esperar.*

¿Cuándo se utiliza *u*?

U es una variante de *o* que se utiliza exclusivamente cuando la palabra que va después empieza por ***o-*** u ***ho-***:

*Han venido siete **u** ocho personas.*

1 Complete estas frases con *y* o *e*:

a) Las propuestas de uno ...... otro gobierno no me convencen.

b) Pepe, Mario ...... Adrián vendrán a la fiesta.

c) Comer ...... dormir son dos grandes placeres de la vida.

d) La asignatura de Geografía ...... Historia me gusta mucho.

e) Me apetece mucho llegar a casa ...... irme a la cama.

2 Complete estas frases con *o* o *u*:

a) Elige uno ...... otro, cualquiera de los dos es bueno.

b) Las frases condicionales ...... hipotéticas me parecen difíciles.

c) ¿Por qué país pasa el Orinoco? ¿Por Brasil ...... por Bolivia?

d) La persona para el nuevo puesto puede ser mujer ...... hombre.

3 Complete estas frases con *y*, *o*, *e* y *u*:

a) Todas las pruebas indican que se ha cometido un crimen ...... homicidio.

b) La prima de Rosa ...... el hermano de Maribel se casaron en junio.

c) A veces es difícil elegir entre el bien ...... el mal.

d) Creo que tu historia es falsa ...... inverosímil.

4 Complete los espacios de este texto con *y*, *o*, *e* y *u*:

Siete .... ocho veces he intentado ir a ver esa película .... nunca lo he conseguido. ¿No prefieres ir al teatro .... a cenar? He hablado con Jesús .... Marta .... me han dicho que ellos prefieren ir al teatro. ¿.......... tú? Ahora hay una comedia que se titula *Padres* .... *hijos*, que creo que está muy bien.

1. **Complete estas frases con *por qué*, *porque* o *porqué*:**

a) Desconozco el .... del enfado de Lidia.

b) ¿.................. no se quedaron tus amigos en la fiesta?

c) ¡.................. no habré acabado el trabajo a tiempo!

d) No sé .... gastas tanto dinero en ropa.

e) Estoy agotado .... ayer fui de excursión a la montaña.

f) Ellos querían saber .... había llegado tarde a casa.

2. **Sustituya las palabras destacadas por *por qué*, *porque*, *por que* o *el porqué*:**

a) Por fin comprendieron **la causa** de la traición.

b) La razón **por la cual** dejó de estudiar es incomprensible.

c) Ahora puedo estar tranquilo, **ya que** no tengo ningún compromiso pendiente.

3. **Complete estas frases con *adónde*, *adonde* y *a donde*:**

a) ¿ .... nos dirigimos?

b) ¡ .... ha llegado la ciencia!

c) Todavía no sabemos .... lleva este tren.

d) ¿ .... quieren ir a cenar?

e) La escuela .... van mis sobrinos es pública.

4. **Sustituya las palabras destacadas por *adonde*, *a donde* y *dónde*:**

a) La isla **a la que** iban los barcos es realmente preciosa.

b) Los hombres de las cavernas caminaban **donde** les llevaba la necesidad de alimentarse.

c) ¿Sabes **donde** ha ido Marisa?

d) El lugar **al que** solemos ir lo descubrimos cuando todavía éramos unos niños.

e) Allí **donde** tú vayas, iré yo.

5 **Complete estas frases con *también*, *tan bien*, *tampoco* y *tan poco*:**

a) ¿Qué pensarías si te dijese que yo .... quiero irme a vivir a Australia?

b) No es posible que la situación mejore, y .... parece probable que haya grandes cambios.

c) Las flores olían .... que tuve que comprar un ramo.

d) Rosa .... tenía razón, aunque tú digas lo contrario.

e) César es .... atento, que ni siquiera se dio cuenta de lo que estaba ocurriendo.

f) Margarita canta .... como una cantante de ópera.

g) El año pasado llovió .... que ahora hay problemas de sequía.

h) El director .... está pensando en jubilarse.

6 **Complete estas oraciones con *y*, *o*, *e* y *u*:**

a) Al puesto pueden aspirar hombres ...... mujeres extranjeros.

b) Llegaré dentro de diez ...... once minutos, no te preocupes.

c) Fernando ...... Isabel fueron los reyes de Castilla ...... Aragón.

d) Mi helado favorito es el de mango ...... fresa.

e) Las alternativas ...... opciones para resolver el conflicto no son fáciles de llevar a cabo.

f) Don Juan ...... doña Inés son dos de los amantes más famosos de la literatura española.

g) En España ...... América Latina se habla un mismo idioma con distintas variantes.

h) Ocultar ...... omitir pruebas ante el juez es un delito grave.

SOLUCIONES A LOS EJERCICIOS

1. El acento, la tilde y la sílaba. 1. *ju-gar; lu-na; e-le-fan-te; co-mi-da; e-clip-se; ex-tran-je-ro; pin-tor; ban-co; ven-ta-na; te-lé-fo-no; ro-jo; es-pa-ñol.* Palabras de dos sílabas: *jugar; luna; pintor; banco; rojo.* Palabras de tres sílabas: *comida; eclipse; ventana; español.* Palabras de cuatro sílabas: *teléfono; elefante; extranjero.* **2.** Respuesta tipo. Una sílaba: *ir; dos; en.* Dos sílabas: *rosa; casa; lanza.* Tres sílabas: *camisa; almacén; centeno.* Cuatro sílabas: *leopardo; edificio; estudiante.* **3.** *Es-te a-ño i-ré de va-ca-cio-nes a Mé-xi-co. Mé-xi-co es un pa-ís muy ex-ten-so ba-ña-do por el o-cé-a-no Pa-cí-fi-co y el At-lán-ti-co. La ca-pi-tal es Mé-xi-co Dis-tri-to Fe-de-ral. Pa-sa-ré un mes a-llí y lo re-co-rre-ré de nor-te a sur. ¿Tú qué ha-rás du-ran-te las va-ca-cio-nes?*

2. Acentuación de palabras agudas. 1. Palabras agudas: *Simón; soñar; Bogotá; sartén; Tomás.* Palabras no agudas: *pájaro; mesa; jóvenes; lápiz.* **2.** Terminan en vocal: *Perú; sentí.* Terminan en *-n: jamón.* Terminan en *-s: además.* Terminan en consonante distinta de *-n y -s: comed; celular; reloj; estar.* **3.** *salís; cafés; balón; comí; sillón.* **4.** *se levantó; miró; imaginó; se asustó; llamó; preguntó; respondió.* Palabras agudas: *Andrés, levantó, miró, imaginó, asustó, llamó, mujer, salón, preguntó, ayer, calor, está, respondió.*

3. Acentuación de palabras llanas. 1. Respuesta tipo. Con tilde: *Félix; carácter; Óscar; lápiz; ámbar (llevan tilde porque son palabras llanas que no acaban en vocal,* n *o* s*).* Sin tilde: *mucho, santo, Ana, multa, comprado (no llevan tilde porque son palabras llanas que acaban en vocal,* n *o* s*).* **2.** *Héctor; Pérez; tríceps.* **3.** *césped; árbol; Víctor; Martínez; trébol.*

4. Acentuación de palabras esdrújulas y sobresdrújulas. 1. Respuesta tipo: *Ayer celebré mi cumpleaños. Habrá que esperar a que se celebre la ceremonia. Es un hombre célebre. Ella practicó mucho con el piano. Yo practico el alemán todos los días. Ese libro es muy práctico.* **2.** *exámenes; joven; ángeles; lápiz.* **3.** *húmedo; cómodo; último; dámelo; Málaga; clásico; doméstico; simpático; ecológico, película, séptimo. 4. Álvaro; árbitro; fantástico; matemáticas; música; clásica; sábado; nerviosísimo; rápidamente.*

5. Acentuación de diptongos y triptongos. 1. Diptongos: *a-bue-la; cuer-po; co-lum-pio; trein-ta; vol-vis-teis; fui; puen-te, cuí-da-te. Triptongos: a-nun-ciáis.* **2.** Palabras agudas: *de-ci-sión; ca-mi-náis; estación; elección.* Palabras llanas: *suer-te; fue-go; rue-da; ai-re.* Palabras esdrújulas: *cuí-da-lo.* **3.** *1. ciudad; 2. vio; 3. pies; 4. estadio; 5. julio; 6.bien; 7. hoy.* **4.** *llegó; sintió; compró; periódico; buscó; sección; espectáculos; decidió; después; encontró; gustó; vistió; dirigió; allí.*

6. Acentuación de hiatos. 1. Diptongos: *aire; ruido; caimán; miedo; después; piedra.* Hiatos: *país; Rocío; cohete; teatro; comía; canoa.* **2.** Maíz, prohíbo, escribía, río y oír *llevan tilde porque tienen hiatos formados por vocal abierta y vocal cerrada, y este tipo de hiatos siempre llevan tilde en la vocal cerrada.* Área y aéreo *llevan tilde porque son palabras esdrújulas.* Dieciséis *lleva tilde porque es una palabra aguda terminada en vocal.* **3.** *crío; día; oía; mía; baúl; venía; tía; países; ahí.* **4.** Diptongos: *hoy; estudiante; cuando: cuántos; tiene; veinte; diecinueve; después; cuando; tienen.* Hiatos: *coreano; tenía; país.* Tildes: *tenía, país, después.*

7. Acentuación de monosílabos. 1. a) *hoy; sol; a; dar; un.* b) *un; de; sal; en; la.* c) *fue; al; y; pan; y.* d) *soy; yo; quien; la; lo.* **2.** a) *Él; tú.* b) *fue; le; té.* c) *El; de.* **3.** a) *mi; mí.* b) *sé; tú; él.* c) *Te; Se;* **4.** *Mi abuelo era de un pueblecito del norte de León. Cuando todavía era muy joven, decidió ir a América para hacer fortuna. Fue hasta Venezuela y se instaló en Caracas. Pronto encontró un buen trabajo. Poco después, vio por primera vez a mi abuela y se casaron enseguida. Tuvieron seis hijos. Mi madre era la pequeña. Se considera venezolana. Yo también nací en este país y nunca he estado en España. Pero mi abuelo siempre me habló de su tierra natal. Él decía que era un país precioso. A mí me apetece mucho visitar la tierra de mis antepasados. Si consigo ahorrar este año, iré a León el próximo verano.*

8. Acentuación de pronombres interrogativos y exclamativos. 1. a) *Cuándo.* b) *Cuánto.* c) *como.* d) *Quién; cómo.* e) *Cuando; qué.* f) *donde.* **2.** Respuesta tipo: *¿Adónde habéis ido hoy?; ¿Cuántos años tiene su hijo?; ¿Cómo se llama tu novia?; ¿Cuándo vuelven Jesús y Paloma?; ¿De dónde es Alfonso?* **3.** *¡Qué calor hace!; ¿Quién está ahí?; ¿Cuánto cuesta el billete de avión?; ¿Dónde está Guadalajara?* **4.** *¿Cuánto tiempo cuesta aprender un idioma? Es una pregunta difícil de responder. Todo depende de cuánto tiempo y esfuerzo se dedique. En cuanto a dónde es mejor aprenderlo, también depende del tiempo y del dinero de que se disponga. Donde más te apetezca, cuando prefieras. Lo importante es querer hacerlo. ¡Que tengas mucho éxito!*

Ejercicios de las reglas de acentuación. 1. Palabras agudas: *Santander; bailarín; canté; señor; hoy; profesor; salmón.* Palabras llanas: *Canarias; difícil; estuve; vimos.* Palabras esdrújulas y sobresdrújulas: *bolígrafo; cantábamos; música; préstamelo.* **2.** *Álvaro; Sánchez; cortísimo; pensó; botón; teléfono; móvil; sofá; sílaba; preséntanoslo; árbol.* **3.** a) *últimas; pérdidas; económicas.* b) *lámpara; habitación.* c) *música.* d) *fácil.* e) *césped; jardín; está; habrá.* **4.** Diptongos: *suave; huésped; niebla; precioso; ruido; cuídate; visitáis; camión; acuático; murciélago; piano.* Triptongos: *averiguáis.* Hiatos: *aéreo; leíamos; egoísta; frío; baúl; reír; ideas; triángulo; paella; día; oeste.* **5.** a) *sé; té;* b) *tu; si;* c) *mí;* d) *Él;* e) *de;* f) *sé; tu; sí.* **6.** a) *Dónde;* b) *como;* c) *Cuántas;* d) *Qué;* e) *que.* **7.** *Había; ahí; simpática; carácter; empezó; ingresó; decidió; ingeniería; técnica; matemáticas; Qué; tenía; pensó; podría; fáciles; exámenes; arrepintió.*

9. Las mayúsculas. 1. Respuesta tipo. Nombres y apellidos de persona: *Daniel, Menéndez, Jorge, Ramírez.* Nombres de ríos, mares y montañas: *Sierra Morena, Amazonas, Atlántico.* Nombres de ciudades, países y continentes: *Asunción, Italia, América, España, Buenos Aires.* **2.** a) *Estaremos en los Alpes de lunes a viernes.* b) *Los habitantes de Portugal se llaman portugueses.* c) *Cruzar el Índico a nado es imposible.* **3.** Estaciones: *primavera, verano, otoño, invierno.* Meses: *enero, febrero, marzo, abril, mayo, junio, julio, agosto, septiembre, octubre, noviembre, diciembre.* **4.** *Querido; Antonio; Me; Así; Mis; Andes; Cuándo; Me; Hasta; María.*

10. Palabras con *h*. 1. Respuesta tipo. Haber: *habría; hay; hubo.* Hacer: *hicieron; hagamos; haremos.* Hallar: *hallaré, hallaste; hallaron.* Hablar: *hablarían; hablarán; habló.* **2.** Con *h*: *hipopótamo; halcón; hiena; búho; hormiga.* Sin *h*: *iguana.* **3.** *Hombre; hierba; hormiga; hermoso; hojas; haya; hora.*

11. Con *h* y sin *h*. 1. Respuesta tipo: a) *Ha habido un terremoto.* b) *Fueron a Paraguay.* c) *¡Ah, qué bonito!* d) *Hay naranjas en la nevera.* e) *¡Ay, qué daño!* f) *Ahí está lo que buscaban.* **2.** a) *hasta;* b) *echo;* c) *Hola.* d) *habría.* **3.** a) *hecho;* b) *desecho;* c) *Hasta;* d) *deshecho.* **4.** *deshecha; hasta; ola; a.*

12. Palabras con *b* (1). 1. Respuesta tipo: a) Deber: *debo, deben.* b) Caber: *cabe, caben.* c) Saber: *sabían, sabes.* d) Haber: *hubo, hubieron.* **2.** a) *iba;* b) *estaba;* c) *sabes/sabías;* d) *debíamos/deberíamos* **3.** *autobús; Blas; pueblo; blancas; observar; brisa; amable; bienvenido; debajo; subterráneo.*

13. Palabras con *b* (y 2). 1. Respuesta tipo. Vivir: *vivienda, vida;* escribir: *escriba, escribiente;* prohibir: *prohibido, prohibición;* servir: *servicio, servidor;* recibir: *recibo, recibidor;* subir: *subida, subidita;.* **2.** Respuesta tipo: *María es todo amabilidad; La responsabilidad es fundamental en el trabajo; La debilidad de Pedro es clara; Hay imposibilidad total de ganar las elecciones; Marta estudia contabilidad; La flexibilidad laboral es una necesidad prioritaria.* **3.** Respuesta tipo: *El sábado me senté meditabundo sobre un bonito banco del parque, dispuesto a distribuir caramelos baratos y también todo tipo de chucherías a los niños y niñas que pasaran por allí.*

14. Palabras con *v* (1). **1.** Respuesta tipo: *Le dieron una subvención para su proyecto. Te tengo que advertir del peligro que corres; subvencionar; advertencia.* **2.** *vicesecretario; viceministro; vicepresidente; vicerrector.* **3.** *a) villancicos; b) verde; c) lleva; d) lavar.* **4.** *vengo; invierno; observar; conversar; primavera; verano; Navidad.*

15. Palabras con *v* (y 2). **1.** a) *estuve;* b) *tuviste;* c) *hubo;* d) *estuvieron.* **2.** *educativo; conflictivo; curativo; defensiva.* **3.** a) *van;* b) *vamos;* c) *Voy.* **4.** *invierno; estuvimos; nevar; tuvimos; cueva.*

16. Palabras con *b* y *v*. **1.** a) *vello;* b) *votar;* c) *sabia.* **2.** Respuesta tipo: *Cuando murió, entregó todos sus bienes al asilo. ¿Vienes conmigo?* **3.** a) *tuvo;* b) *tubo;* c) *tuvo; tubo.* **4.** *baca; vaca; tubo; sabía; tuvo.*

17. Palabras con *g*. **2.** *origen: originar; originalidad. imagen: imaginación; imaginativo. margen: marginal; marginación.* **3.** *proteger; corregir; fingir; dirigir; exigir; acoger; encoger; escoger; recoger.* **4.** *gato; vago; gente; ignora; jugar; seguirle; gusta; gazpacho; guisantes.*

18. Palabras con *j*. **1.** *personaje; aterrizaje; equipaje; hospedaje; lenguaje; espionaje.* **2.** a) *garaje;* b) *mensajes;* c) *relojería;* d) *viajeros.* **3.** a) *condujeron;* b) *dedujiste;* c) *produjeron;* d) *dije.* **4.** *Jorge; bajito; jirafa; viajes; extranjero.*

19. Palabras con *s* y palabras con *x*. **1.** a) *exposición;* b) *examen;* c) *extraño;* d) *espectadores.* **2.** *espía; excusa; extensión; espontáneo; espectacular; excepto.* **3.** a) *excursión;* b) *espléndida;* c) *estructura.* **4.** *espectáculo; próximo; estreno; excelente; éxito.*

20. Palabras con *ll* y palabras con *y*. **1.** *bocadillo; molinillo; pastilla; sombrilla; pasillo; casilla.* **2.** a) *huye;* b) *oyeron;* c) *cayó;* d) *concluyó.* **3.** Respuesta tipo: *Lucía no se halla en Madrid; Espero que haya llegado; Ralla un poquito de pan para la comida, por favor; La raya del pelo no le favorece.* **4.** *Ayer; Llegó; ballena; playa; hallaron; ayuda; llevaron.*

21. Palabras con *c*, *z*. **1.** *cruces; luces; voces; tapices.* **2.** *cruzo, cruzas. conozco, conoces. cuezo, cueces.* **3.** a) *deportista;* b) *utilices;* c) *incapaz.* **4.** *conozco; cocer; fácil; hacer; cocina; introducir; cacerola; diez; dulce; zumo.*

22. Palabras con *c*, *k* y *qu*. **1.** *querer; queso; anorak.* **2.** a) *cabras;* b) *quedarme; cama;* c) *quilates;* d) *corbata.* **3.** *quisiera; kilos; calabacines; caro; cuánto; quiero; cuartos; coliflor; brocoli; carne.*

23. Palabras con *r* y palabras con *rr*. **1.** *rápido; arriba; caro; reír.* **2.** Con *r*: *Israel; raya; rubio.* Con *rr*: *arroz, horror, correcto.* **3.** *río, revuelto, región, tierra, raro, barcas.*

Ejercicios de las reglas de las letras. **1.** *Argentina, Buenos Aires, argentino. Chile, Santiago de Chile, chileno. Colombia, Bogotá, colombiano. Perú, Lima, peruano. España, Madrid, español.* **2.** a) *El punto más cercano entre Europa y América es el estrecho de Bering.* b) *La montaña más alta del mundo es el Everest.* c) *Mi padre se apellida Fernández y mi madre Monforte, así que yo me llamo Matilde Fernández Monforte.* **3.** Respuesta tipo. Hacer: *hice, hago.* Hallar: *hallaron, halló.* Haber: *hay, hubo.* Hablar: *hablan, hablarán.* **4.** a) *Hasta;* b) *ola;* c) *hay;* d) *hecho.* **5.** Respuesta tipo. Cocinar: *cocinaba, cocinabas.* Amar: *amaba, amábamos.* Saltar: *saltaba, saltas.* Soñar: *soñaba, soñabas.* Ir: *iba, iban.* Deber: *debía, debías.* Probar: *probaba, probaban.* Distribuir: *distribuía, distribuíais.* **6.** a) *bello;* b) *vaca;* c) *savia.* **7.** a) *fingió;* b) *eligió;* c) *conduje.* **8.** a) *bocadillo;* b) *huyó;* c) *concluyó;* d) *pollo.* **9.** Respuesta tipo: *Hay que correr más; No puedo parar de reír; Este coche es ultrarrápido; He visto un ratón blanco; Pablo es un romántico; Me encanta el turrón.*

24. El punto(.). **1.** a) *Hoy es martes. No podemos ir al rastro.* b) *No estoy de acuerdo contigo. Me voy de aquí.* c) *Mi nuevo trabajo es muy interesante. Me gusta mucho lo que hago.*

d) *Se me ha acabado la tinta de la pluma. ¿Me puedes prestar un cartucho, por favor?* e) *Acaban de llamar por teléfono. No sé quién podrá ser.* **2.** *Siempre hemos querido visitar Cuba. Creemos que es un país fascinante. Todo el mundo que ha estado allí ha regresado encantado. Parece que todo en la isla merece la pena: el paisaje es bonito y la gente tiene fama de ser muy amable. Tan pronto como consigamos ahorrar un poco, compraremos un pasaje y volaremos a La Habana.* **3.** *Hoy en día hay cuatrocientos millones de hispanohablantes. (punto y seguido) Están repartidos entre América Latina, Estados Unidos y Europa. (punto y aparte) El español se ha convertido en una lengua universal, la tercera más hablada del mundo. (punto y seguido) Por eso, muchas personas creen que es importante aprender este idioma. (punto y aparte) Aunque hay muchas variedades de español, todos los hispanohablantes se entienden entre sí. (punto y seguido) Desde California hasta la Patagonia es posible comunicarse gracias a una lengua en común. (punto final).*

25. La coma (,). 1. a) *Ana, tráeme un vaso de agua, por favor.* b) *Patricia habla muchos idiomas: inglés, francés, alemán y español.* c) *Si llueve, no iremos a la playa.* d) *El próximo jueves, fiesta nacional, no habrá clase.* e) *En fin, no te preocupes demasiado por esas cosas.* **2.** Respuesta tipo: a) *pan, leche, huevos y chocolate.* b) *Alberto, Blanca y Antonio.* c) blanco, azul y rojo. *d) verde, negro y naranja.* **3.** a) *La primera frase indica que mañana no podemos vernos porque estoy ocupada, mientras que la segunda indica que mañana podemos vernos porque no estoy ocupada. Esta diferencia de significado la establece la coma.* b) *La primera frase indica que se lo contó todo de una forma clara, y la segunda indica que evidentemente se lo contó todo. La diferencia de significado la establece la coma.* **4.** *Mi hijo Pablo no sabe muy bien qué estudiar en la universidad. El otro día me preguntó qué era mejor estudiar, si economía, filosofía, arte o filología. Yo le respondí que no había cosas mejores ni peores, y que debía elegir la carrera que le interesara más, y para la que estuviera mejor capacitado. Tómate tu tiempo para pensarlo, le dije, habla con la gente, pregunta lo que no sepas y, sobre todo, ten en cuenta que el que va a estudiar la carrera vas a ser tú.*

26. Los dos puntos (:) y el punto y coma (;). 1. a) *Pablo se levantó y dijo: «Tengo un hambre de lobo».* b) *En el Amazonas hay especies muy peligrosas: anacondas, tarántulas, pirañas...* c) *Mis aficiones favoritas son las siguientes: viajar, leer, dormir y comer.* d) *Me encontré con Pepe y me dijo: «¡Qué pronto has llegado!».* e) *Estimado doctor: Me dirijo a Ud. para pedirle una cita.* **2.** a) *Mi madre es pianista; mi padre, panadero.* b) *Juan no tiene razón; está muy equivocado.* c) *El verano pasado estuvimos en Burgos; este iremos a Santander.* d) *El Ebro pasa por Zaragoza; el Guadalquivir, por Sevilla.* e) *Las elecciones serán el 15 de mayo; por lo tanto, solo quedan tres semanas.* **3.** *Estimado Sr. Alcalde: Me gustaría expresarle mi agradecimiento por haber respondido tan rápidamente a mi carta de la pasada semana; sin embargo, me gustaría matizar algunos aspectos. Por ejemplo, los referidos al tráfico de la ciudad y a los nuevos árboles plantados los últimos meses. Y cómo no citar temas como los siguientes: contaminación, transporte público o seguridad. Para aclarar todo esto, le envío con esta carta una serie de informes que explican claramente cuál es el verdadero estado de estos temas. Estimado señor, no quisiera que esta carta crease ningún malentendido entre nosotros, sino que, al contrario, sirva para que, juntando nuestras fuerzas, consigamos tener una ciudad mejor.*

27. Los signos de interrogación (¿?) y de exclamación (¡!). 1. Respuesta tipo: a) *¿Dónde han pasado el fin de semana?* b) *¿Qué estáis haciendo?* c) *¿Cuál es su película favorita?* d) *¿Has leído* Cien años de soledad*?* **2.** a) *¡Qué calor hace!* b) *¡Es un chollo!* c) *¡Ha sido preciosa!* d) *¡No he tomado la dirección correcta!* **3.** *Mi querida Laura, ¿cómo estás? Hace por lo menos un siglo que no te veo. ¡Te has casado! ¿Con quién? ¡Pero si tú decías que nunca te ibas a casar! ¡Hay que ver cómo pasa el tiempo! ¿Y ahora qué planes tienes? Perdón, ¿qué planes tenéis? Bueno, ya me contarás. Te mando un beso, ¡miles de besos! Escríbeme.*

28. Los puntos suspensivos (...), las comillas («») y los paréntesis ( ). 1. Respuesta tipo: a) *una cartera, un bolígrafo, una barra de labios...* b) *Goya, Rubens, Velázquez...* c) *sillas, mesas, sofás...* d) *peras, manzanas, plátanos...* **2.** b) *Araceli dijo: «¡No estoy de acuerdo!».* c) *Miriam preguntó: «¿Cuántos años crees que tiene el profesor?».* d) *Pablo me suplicó: «Hazlo por mí, por favor».* e) *Rosana me dijo: «¿Me dejas probarme tu chaqueta?».* **3.** a) *«e-mail»;* b) *«aftersun»* c) *«solo».* **4.** *La Rioja (España) es la comunidad autónoma más pequeña de la Península. Sus principales ingresos proceden de la agricultura (vid, espárragos, pimientos, tomates...) y de la industria de la conserva. La otra Rioja (Argentina) recibió este nombre porque muchos de los españoles que allí se instalaron procedían de la región española del mismo nombre.*

29. El guión (-) y la raya (—). 1. *Er-nesto: Ernes-to; miér-coles; miérco-les; tie-rra; mal-humorado; malhu-morado; malhumo-rado; malhumora-do; vi-sitó; visi-tó; cua-derno; cuader-no.* **2.** *La niña se despertó de un intenso sueño y al verse sola buscó a su madre. —¿Adónde vamos, mamá? —No lo sé. Depende de lo que ocurra mañana —le contestó su madre y añadió: —Tu padre ha ido a buscar comida, así que esperaremos a que vuelva. —De acuerdo —dijo la niña todavía asustada —. Y volvió a dormirse.* **3.** *anglo-hablante; anti-social; teórico-práctico.* **4.**—*Pedro, te han dejado un mensaje en el contestador automático. —¿No ha dicho quién era? —No, pero era una chica con acento extranjero, algo así como ruso-eslavo. —¿Y qué ha dicho? —Te repito literalmente lo que ha dicho porque no la entendía bien: «Pedro, ya he regresado a Madrid. Me gustaría verte pronto. ¿Por dónde andas? La gente del instituto científico-técnico te manda muchos recuerdos. ¿Me llamas cuando puedas?».*

Ejercicios de las reglas de puntuación. 1. *Vacaciones ecológicas en playas y puertos // Utilice las papeleras y asegúrese de separar los diferentes residuos para depositarlos en su contenedor correspondiente. // Desplácese a pie o en bicicleta, propia o alquilada. Use el transporte público para ir a la playa. // Respete las instrucciones de seguridad y los códigos de conducta en la playa o en el puerto. // Disfrute de la naturaleza, pero trátela con respeto. Limite el uso del agua y de electricidad, racionalice los recursos naturales. Pase sus vacaciones en un sitio donde se cuide la naturaleza y escoja un hotel donde la gestión de servicios se realice respetando el medio ambiente. //* **Carmen Alfonso:** *El País.* **2. a)** *Si te apetece, puedo acompañarte al médico.* **b)** *La mezcla de «rock», «jazz», «tecno» y «house» es muy corriente en la música actual.* **c)** *Escucha, Fernando, no te vayas así.* **d)** *La población de España, de 40 millones de habitantes, es una de las menos jóvenes de Europa.* **e)** *Por último, quisiera agradecerles su participación en este congreso de Lingüística española.* **3. a)** *La primera vez que le escuché hablar, me dije a mí mismo: «Es una persona maravillosa».* **b)** *Mañana tenemos muchas cosas que hacer: ir a la compra, limpiar la casa, planchar y lavar la ropa.* **c)** *El Greco es uno de sus pintores preferidos; admira especialmente su forma de retratar a las personas.* **d)** *El país más poblado del mundo es China; por tanto, aprender su lengua tiene mucho futuro.* **e)** *Pronto empezará a llover; por lo tanto, deberíamos resguardarnos.* **f)** *Ya es de noche; pronto será hora de acostarse.* **4. Respuesta tipo: a)** *¿Cuánto tiempo hace que estudias español?* **b)** *¿Has estado de vacaciones este verano?* **c)** *¿Qué ha pasado?* **5.** *—Vienes perdido —dijo Angelina, cuando lo vio detenerse en medio de la sala. // —Está lloviendo a mares.// Se levantó y dejó la costura en la silla. // —Anda, quítate la ropa, que se seque. Ahora sí que pareces Cenicienta. // —En realidad soy un príncipe encantado.// Lo miró de arriba abajo: —Fíjate qué zapatos. De dónde vendrás.// —Ya te lo dije, de la tertulia —respondió quitándose la gabardina. // Luis Landero:* **Juegos de la edad tardía. 6. a)** *Me encantan las flores: las rosas, las violetas, las azucenas...* **b)** *La paella lleva arroz, pimiento, gambas...* **c)** *Mi abuelo siempre decía: «Para ser libre hay que ser responsable».* **d)** *El nuevo deporte de moda es el «snow board».* **e)** *La empresa necesita el «savoir-faire» de sus empleados.*

30. *Por qué, porque, porqué*. **1.** a) *porqué;* b) *Por qué; porque;* c) *porqués;* d) *por qué.* **2.** Respuesta tipo: a) *¿Por qué no fuiste al teatro?* b) *Porque exigen un aumento de sueldo.* **3.** a) *porqué;* b) *por que;* c) *porque.* **4.** *Por qué; porque; por qué; porqué; porqués; por qué.*

31. *Adónde, adonde, a donde*. **1.** a) *adonde;* b) *Adónde; a donde;* c) *A donde;* d) *adónde.* **2.** a) *Adónde; a donde.* b) *Adónde; a donde.* **3.** a) *adonde;* b) *adonde;* c) *a donde.* **4.** *Adónde; A donde; a donde.*

32. *También, tan bien; tampoco, tan poco*. **1.** a) *también;* b) *tan bien;* c) *tan bien;* d) *también;* e) *tan bien.* **2.** a) *tan poco;* b) *tampoco;* c) *Tan poco;* d) *tampoco.* **3.** a) *tampoco;* b) *tan bien;* c) *También;* d) *tan poco.* **4.** *tan bien; también; tampoco; tan poco.*

33. Las conjunciones *y/e, o/u*. **1.** a) *y;* b) *y;* c) *y;* d) *e;* e) *e.* **2.** a) *u;* b) *o;* c) *o;* d) *u.* **3.** a) *u;* b) *y;* c) *y;* d) *e.* **4.** *u; y; o; y; y; y; e.*

Ejercicios de las reglas de palabras. **1.** a) *porqué;* b) *Por qué;* c) *Por qué;* d) *por qué;* e) *porque;* f) *por qué.* **2.** a) *el porqué;* b) *por que;* c) *porque.* **3.** a) *Adónde;* b) *Adónde;* c) *a donde;* d) *Adónde;* e) *adonde.* **4.** a) *adonde;* b) *a donde;* c) *adónde;* d) *adonde;* e) *a donde.* **5.** a) *también;* b) *tampoco;* c) *tan bien;* d) *tampoco;* e) *tan poco;* f) *tan bien;* g) *tan poco;* h) *también.* **6.** a) *o;* b) *u;* c) *e, y;* d) *y;* e) *u;* f) *y;* g) *y;* h) *u.*

Proyecto editorial
Equipo de Idiomas SM

Autoría
Margarita España
Isabelle Marc

Colaboración
Javier Salinas

Coordinación editorial
Paloma Jover

Edición
Ricardo Jabato
Marta Román

Revisión
Aurora Centellas

Diseño de interiores
Maritxu Eizaguirre

Diseño de cubierta
Alfonso Ruano
Julio Sánchez

Maqueta
José Ugarte

Dirección editorial
Concepción Maldonado

www.sm-ele.com

Comercializa

Para el extranjero:

Grupo Editorial SM Internacional – Impresores, 2 Urb. Prado del Espino
28660 Boadilla del Monte – Madrid (España)
Teléfono: (34) 91 422 88 00 – Fax: (34) 91 422 61 09
internacional@grupo-sm.com

Para España:

Cesma, SA – Joaquín Turina, 39 – 28044 Madrid
Teléfono 902 12 13 23 – Fax 902 24 12 22
clientes@grupo-sm.com

ISBN: 978-84-348-8611-7 / Depósito legal:
Impreso en España / *Printed in Spain*

ESPAÑA
MÉXICO
BELICE
REP. DOMINICANA
CUBA
PUERTO RICO
GUATEMALA
HONDURAS
EL SALVADOR
NICARAGUA
COSTA RICA
VENEZUELA
PANAMÁ
COLOMBIA
ECUADOR
PERÚ
BOLIVIA
PARAGUAY
CHILE
URUGUAY
ARGENTINA